D1356307

ESSAYS PRESENTED TO

LEO BAECK

fec. Leonhard Fries

ESSAYS PRESENTED TO

LEO BAECK

ON THE OCCASION OF
HIS EIGHTIETH
BIRTHDAY

EAST AND WEST LIBRARY

LONDON

PUBLISHED BY THE HOROVITZ PUBLISHING CO. LTD

1954

MADE IN GREAT BRITAIN

PRINTED AT THE BROADWATER PRESS · WELWYN GARDEN CITY

PREFACE

No happier way can be found of celebrating a scholar's birthday than by a volume such as this containing contributions by his fellow workers in his particular field. But Dr Baeck's learning stretches in many directions. He is both philosopher and theologian; he has written both on the Old Testament and the New. Above all, there are included among his friends and pupils and admirers, all sorts and conditions of men. So the list of contributors who we felt would wish to be included was long and various. Within the covers of this book are essays written by distinguished representatives of Judaism and Christianity. Each writer differs from the other philosophically or theologically but they are all one in their affection and esteem for a man conspicuous during a long life for his wisdom and for his courage. His eightieth birthday has been the occasion for telling elsewhere how and in what manner Baeck stood undismayed in the days when danger surrounded him. Now, in happier times, this book serves to commemorate his eminence in various fields of scholarship, and, among the galaxy composed by the contributors, his own name shines not least among the illustrious.

L. G. MONTEFIORE

CONTENTS

This Festschrift, initiated by a few friends of DR LEO BAECK, has very kindly been sponsored by a committee consisting of THE RT REV. THE LORD BISHOP OF CHICHESTER; PROFESSOR NORMAN BENTWICH, O.B.E., M.C.; THE REV. CANON C. E. RAVEN, D.D., F.B.A.; LEONARD G. MONTEFIORE, O.B.E. The preparation lay in the hands of PROFESSOR N. BENTWICH, RABBI DR B. ITALIENER, MR L. G. MONTEFIORE, DR A. WIENER, and much help was given by the late DR H. L. BERLAK, whose zeal and valuable advice will not be forgotten. DR B. ITALIENER and DR A. WIENER (of the Wiener Library) acted as executive secretaries, and RABBI DR A. S. DREYFUS in U.S.A. and DR ERNST SIMON in Israel as corresponding secretaries.

CONTRIBUTORS

ARSENIEV, Nicholas, formerly Professor of History of Religion at the University of Saratov (Russia) and of History of Russian Culture at the University of Koenigsberg (Prussia); now Professor at St Vladimir's Theological Seminary, New York, and at the Université de Montreal (Canada).

BENTWICH, Norman, formerly Professor of International Relations, Hebrew University, Jerusalem.

BUBER, Martin, PH.D., HON.D.D., HON.D.H.L., HON.PH.D.: Professor of General Sociology and Philosophy of Society, Hebrew University, Jerusalem.

EINSTEIN, Albert, Member of Faculty (Emeritus), Institute for Advanced Study, Princeton, New Jersey, U.S.A.

HESCHEL, Abraham Joshua, PH.D., Assistant Professor of Jewish Ethics and Mysticism at the Theological Seminary of America.

JASPERS, Karl, M.D., Professor of Philosophy, Basle University.

KAHLE, Paul, PH.D., F.B.A., D.THEOL. h.c., LITT.D.(Oxon.); formerly Professor of Oriental Languages at the University of Bonn.

LIEBESCHÜTZ, Hans, PH.D., M.A., Lecturer in Mediaeval History, University of Liverpool.

MANN, Thomas, LITT. and PH.D. h.c.

MARITAIN, Jacques, PH.D., S.T.D.; Professor of Philosophy, Princeton University, New Jersey, U.S.A.

MORGENSTERN, Julian, PH.D., D.H.L., LL.D., D.D.; President Emeritus, Hebrew Union College, Cincinnati.

SCHOLEM, Gershom, PH.D., Professor of Jewish Mysticism, Hebrew University, Jerusalem.

SIMON, Ernst, PH.D., Director of Education, Hebrew University, Jerusalem.

STERN-TAEUBLER, Selma, PH.D., Archivist of American Jewish Archives, Cincinnati.

LEO BAECK

DIESES BUCH zeigt eingangs den Kopf eines Achtzigjährigen, das Antlitz eines geistigen Menschen. Was den Beschauer unwillkürlich fesselt, ist die hohe Stirn, sind die unter buschigen Brauen hervorleuchtenden Augen, aus denen ebenso viel Tiefe wie Klarheit und Güte sprechen. Es sind die Augen eines Rabbiners, eines Denkers, eines frommen Menschen, dessen Heimat in jenen deutschen Grenzlanden lag, in denen westliche Kultur mit der jüdischen Frömmigkeit und Gelehrsamkeit des Ostens sich trafen. Diese Augen sahen die Schrecken beider Weltkriege; im ersten wirkte dieser Mann zur Ehre des Judentums als Feldrabbiner. Im zweiten gab er als Oberhaupt der deutschen Juden dem alten Wort von den *Chasside Aschk'nas* „den Frommen von Deutschland" einen neuen Glanz, und teilte dann als Gefangener das Los seiner jüdischen Brüder und Schwestern im Konzentrationslager. Diese Augen sahen eine der religiös fruchtbarsten Epochen des deutschen Judentums und das furchtbare Leid seines Zusammenbruches. Es sind die Augen eines Mannes, der keine Furcht kennt, der um das Mysterium weiss, der mit Gott und Menschen gerungen hat.

Leo Baeck ist nach dem Urteil eines namhaften christlichen Religionsphilosophen der grosse Systematiker des Judentums. Die Frucht seiner umfassenden religionsgeschichtlichen und religionsphilosophischen Studien hat er in mannigfachen Büchern und Schriften niedergelegt. Sein Hauptwerk ist „Das Wesen des Judentums" (7. Auflage 1936), das in verschiedene Sprachen übersetzt worden ist. Baecks Persönlichkeit, diese harmonische Vereinigung des

Forschers und Gelehrten von umfassendster Bildung mit den leuchtenden Eigenschaften edelsten Menschentums, hat ihm eine einzigartige Stellung in jüdischen und nichtjüdischen Kreisen verschafft, wie sie nach den Worten eines zeitgenössischen Historikers seit Moses Mendelssohn kein anderer Jude besessen hat.

Für Baeck ist das Judentum mit seinem von den Propheten verkündeten ethischen Monotheismus, seiner Lehre von der Gottesebenbildlichkeit des Menschen und seiner messianischen Hoffnung auf das Kommen des Gottesreiches die klassische Religion. Zur Herbeiführung dieses Zieles ist jeder Mensch durch sittliche Tat, insbesondere aber das Volk Israel durch vorbildliche Lebensführung berufen.

Anderen Religionen, nicht zuletzt dem Christentum, steht Baeck mit der grössten Ehrfurcht gegenüber. In seinem Buch „Das Evangelium als Urkunde der jüdischen Glaubensgeschichte“ (1938) zeigt er, dass das Evangelium des Neuen Testaments in seiner Urfassung von jüdischem Geiste durchweht ist.

Von Baecks Schriften seien folgende noch hier erwähnt: *Wege im Judentum* 1933; *Aus drei Jahrtausenden* 1938 (ein Buch, von dem nur wenige Exemplare erhalten sind, da die Auflage von den damaligenMachthabern beschlagnahmt wurde); *The Pharisees and Other Essays* 1947; und in Vorbereitung *Dieses Volk – Jüdische Existenz.*

BRUNO ITALIENER

ESSAYS PRESENTED TO LEO BAECK

TRANSCENDENCE AND IMMANENCE OF GOD

(from a Christian standpoint)

BY NICHOLAS ARSENIEV

I

In our experience of God, in the encounter with God, two aspects are intimately linked and complete one another: the sense of the *nearness* and that of the *remoteness* of the Divine, the immanence and the transcendence of God.

The sense of the Holy, causing fear, trembling and reverence, belongs to the core of religious feeling. There is a mystery, there is majesty that cannot be investigated by us. An ineffability belongs to the innermost character of the Divine. In every religious notion, in every image of divinity – however gross and distorted it may be – is a shade of mystery. Sometimes this element is but weakly represented; the Godhead is then more or less felt as dissolved in the life of the world or identified therewith. But often the sense of a transcending Majesty strikes the soul with deepest awe, makes it prostrate itself in humble adoration. Without this awe, without this adoring prostration there is no real piety. The element of 'transcendence' is thus to a certain extent present even in immanent or naturalistic aspects of religion. On higher levels it becomes more and more decisive and explicit. 'Take off thy shoes from off thy feet, for the place whereon thou standest, is holy ground' – so the voice of God addresses Moses from out of the burning bush.

This sense of divine aloofness, the being aware of Something that is unapproachable, overpowering, of Something that awakes awe, that requires adoring devotion and surrender, is characteristic of every deeper religious emotion, especially as we said, on the higher levels of religious life and experience.

And this is closely connected with the feeling that the overawing Divinity is at the same time a *Presence*, that can be approached, that can be propitiated, that can show Itself gracious and merciful. So Transcendence and Immanence are closely connected with one another in various forms of religious experience. But often one of these elements predominates in a decisive way; in the naturalistic or pantheistic religions, the element of Immanence; in the religious outlook of Platonism, that of Transcendence. In Mystical experience – especially in Christian mystical experience – the highest synthesis is achieved between these two simultaneously given aspects: the sense of the nearness and the sense of the transcendence of God.

The Highest is quite near, here. He enters my heart and soul. I become united with Him. And Christ, here among us, a man like ourselves ('we have touched Him with our hands', says John) is the inrush of the Living God, of Life Eternal into the texture of our human, earthly life and history, *is* Life Eternal. 'And we have seen – His glory', says the apostle and worships Him thus with Thomas: 'My Lord and my God!'

II

A STRIKING instance of immanency in religion, where the Transcendent seems to be completely lost sight of, is the religion of Dionysos in ancient Greece. There is a mighty stir and uprush of life in awakening Nature. The young god coming to his worshippers is identified with the wild exultant stream of renewed life. The mountain-tops awake, men and animals revel in the encounter. Nature is entranced and enchanted. Rock and cliffs spout streams of wine, milk flows from the depths of the earth, honey drops from wild forest-oaks. Maenads and wild beasts of the forests join together in an enraptured dance. And the god suddenly appears among them in the shape of a young bull, or a he-goat, or a young lion, and his raw flesh is torn in pieces and swallowed by his maddened followers. It is the triumph of wild emotions of savage exuberant life; it is an ecstasy of rioting sap running again through the veins of Nature. There is no transcendency, no moral restraint whatever. The faithful are borne along by this exuberant stream, become part thereof, just little drops, losing their personality, submerged in this torrent of impersonal, elemental, riotous revelry. They are submerged in the Divine, they participate therein, but this Divine is nothing else than the exuberancy of Nature-life, always renascent from death and always succumbing to it anew. For in pure Immanence there is no victory over death. This young god himself, carried along in triumph, succumbs to it again and again. There is no final redemption from the sway of Fate and Evil and Suffering and Death in the purely immanent divinities of Nature.

Alongside the wild Dionysian cult which streamed into Greece in comparatively recent times (seventh or eighth century, B.C.) from half-barbarian Thracia, there is the balanced, harmonious Olympian Greek religion, with its beautiful, so human, so nobly shaped gods, in whose company even the turbulent Dionysos became harmonized, a vision of shining youthful beauty and grace. Those divinities of the Olympian pantheon are not – or are no more, if they ever had been – an embodiment of elemental forces of Nature, they are shapes of beauty, they are inspired by an aesthetic conception of life, they reign in a Universe of harmony and beauty. But in the aesthetic character of their Universe lies its weakness.

The aesthetic point of view obscures the moral one. There is harmony and balance, but no final justice in this world. And no salvation from death. Death swallows up all individuals and all that is concrete and personal, human joys and human sorrows, this man and that man, this plant and that plant – only the species remains, only the general outlines, the harmony and the order. And the gods are the guardians thereof. They are 'jealous' of all individual achievements, of all that brings man near to immortality: They keep the immortality for themselves. They are the embodiments of the unshakable laws of the universe, where all that is individual passes, but the laws remain. Their beauty, their shining forms are immanent in the immutable harmony and order of the 'Cosmos' that passes away in all its components, except the immortal gods, but remains in its general outlines, its eternal beauty and life. But it is a life composed of innumerable series of deaths, not victorious over Death, not conquering and destroying it, not really transcendent to it – no real Life Eternal. These gods are immanent in the beauty and harmony of an unsatisfactory 'Cosmos', unsatisfactory despite all its beauty: because dying, decaying, and remaining only in its idea, in its general forms and unshaken order. The stoic on the imperial throne, Marcus Aurelius, having praised the beauty and harmony of the world's order, suddenly exclaims in a fit of deepest despondency: 'How long then?' and six hundred years before, another sage – the great Heraclitus – also, after entranced, enthusiastic words about the order and harmony of universal life, adds in deepest sadness and resignation: 'The most beautiful Universe is comparable to a heap of rubbish scattered about at random.'

On the line of pure immanence there is release from the bonds of individuality, but no final release from the fetters of Death. All that is concrete and individual, all living personality, is vowed to Death.

III

THE transcendent God! An immense truth is revealed here, as we have seen it already. The Seraphim in the vision of Isaiah (ch. vi) cover their faces with their wings and exclaim in fear and trembling: 'Holy, holy, holy is the Lord Sebaoth!' The creature does not dare to look up. This sense of overwhelming, crushing Majesty and of immense distance between God and creature pervades the writings of the prophets. There are words, there are prayers or confessions which, to a certain extent, succeed in conveying this sense of immense distance – the utter smallness and nothingness of the creature and the overpowering greatness of God: of God who is Master over life and death, over being and non-being, over all that exists and whatsoever shall come into existence, and is still beyond all that, Unreachable, Unfathomable, Unspeakable and – Real, the Only One who is really Real in the ultimate sense of the word.

The transcending majesty of God is strongly conveyed e.g. in the fortieth chapter of Isaiah:

> Who hath measured the waters in the hollow of his hand, and meted out heaven with the span, and comprehended all dust of the earth in a measure, and weighed the mountains in scales, and the hills in a balance?
>
> Who hath directed the Spirit of the Lord, or being his counsellor hath taught him?
>
> With whom took he counsel, and who instructed him, and taught him in the path of judgment, and taught him knowledge, and shewed to him the way of understanding?
>
> Behold, the nations are as a drop of a bucket, and are counted as the small dust of the balance: behold, he taketh up the isles as a very little thing.
>
> And Lebanon is not sufficient to burn, nor the beasts thereof sufficient for a burnt offering.
>
> All nations before him are as nothing; and they are counted to him less than nothing, and vanity.
>
> To whom then will ye liken God? or what likeness will ye compare unto him?. . .
>
> . . . Have ye not known? have ye not heard? hath it not been told you from the beginning? have ye not understood from the foundations of earth?
>
> It is he who sitteth upon the circle of the earth, and the inhabitants thereof are as grasshoppers; that stretcheth out the heavens as a curtain, and spreadeth them out as a tent to dwell in;
>
> That bringeth the princes to nothing; he maketh the judges of the earth as vanity.
>
> Yea, they shall not be planted; yea, they shall not be sown; yea, their stock shall not take root in the earth; and he shall blow upon them, and they shall wither, and the whirlwind shall take them away as stubble.
>
> To whom then will ye liken me, or shall I be equal? saith the Holy One.
>
> Lift up your eyes on high, and behold who hath created these things, that

bringeth out their host by number: he calleth them all by names by the greatness of his might, for that he is strong in power; not one faileth (vv. 12–18 and 21–6).

'I am Alpha and Omega, the Beginning and the Ending, saith the Lord, which is, and which was, and which is to come, the Almighty' – so we read in the Revelation of St John.

The Divine Darkness, the Primordial Light, that is so bright, that it is felt as darkness by our bedazzled eyes which are too weak to sustain it, the Divine Desert, or Waste, the Unknown Country, the Abysm of Divine Silence ('in which are engulfed all the true lovers', says Ruysbroeck), the totally Other ('Niti! Niti!' – 'Not so! Not so!' – of the Upanishads), the Night of Otherness and total Estrangement, of which John of the Cross exclaims in rapture:

'Oh! Noche que guidaste.

'Oh! Noch amable may que l'alborada! . . .'

('O Night, that hast led me! O Night, that art more lovable than the light of the Dawn!') – these all are but utterly inadequate images, poor stammerings pointing to the overwhelming Majesty of Transcendent Reality and Life. Unapproachable Transcendence, unfathomable depth of profoundest Peace and Quiet which is also utterly dynamic; there is no lifelessness, no passivity, but Creative Energy, Overpowering Might. Burning, cleansing, attracting, opening the eyes of the soul, converting, taking hold of, totally reshaping, changing, making a new creature. The Transcendent God shows His Transcendence, His Otherness, His overpowering, indescribable Majesty in His immanence, in His drawing near, in His speaking to the heart.

IV

'Lo! I stand at the door and I knock. And if any man hears My voice and opens to Me, I will come to him, and sup with him, and he with Me.' The Overpowering, the Transcendent is near – that is mystical experience. In this mystical experience the Immanence of the Transcendent – as we said already – becomes apparent. The nearer it comes, the greater His incomparable Majesty reveals itself to us. And the summit of His power and majesty is revealed just in this His drawing near, in His condescension, in His pouring Himself out in love. This is the real, the ultimate sense of His immanence: His pouring Himself out in love.

The Immanence is also revelation of His unique greatness, of His uniqueness: He sustains us, He encloses us from all sides. All lives only through Him and by Him. His is the working power, His the source of life which permeates all. 'In Him we live and move and exist', says St Paul, repeating the words of a stoic poet. A rightly understood immanency does not exclude a rightly understood transcendentalism in religion, rather they presuppose and complete each other. There is no true religious experience, where one of these two aspects of religion is lacking. We can see it in the Old Testament, but especially in the Christian revelation. In chapter forty of Isaiah, already quoted, where the incomparable power and transcending majesty of God were depicted, we see both aspects stressed with equal strength:

> Behold, the Lord God will come with strong hand, and his arm shall rule for him: behold, his reward is with him, and his work before him.
>
> He shall feed his flock like a shepherd: he shall gather the lambs with his arm, and carry them in his bosom, and shall gently lead those that are with young. . .
>
> . . . Why sayest thou, o Jacob, and speakest, o Israel; my way is hidden from the Lord, and my judgment is passed over from my God?
>
> Hast thou not known? hast thou not heard? that the everlasting God, the Lord, the Creator of the ends of the earth, fainteth not, neither is weary? there is no searching of his understanding.
>
> He giveth power to the faint; and to them that have no might he increaseth strength (vv. 10, 11, 27–9).

And compare in Chapter XLII these two closely connected verses (15–16), of which the first depicts the awe-inspiring, dreadful power of the Lord, whose presence burns and shakes the created world to its foundations, and the next, immediately following verse stresses the condescending meekness and kindness of the same Lord:

> I will make waste mountains and hills, and dry up all their herbs; and I will make the rivers islands, and I will dry up the pools...
>
> And I will bring the blind by a way that they know not; I will lead them in paths that they have not known: I will make darkness light before them, and crooked things straight. These things will I do unto them, and not forsake them.

The Old Testament knows that the Lord surrounds us from all sides; that He speaks to us through the voice of the creation:

> Thou hast beset me behind and before, and laid thy hand upon me...
>
> ... Whither shall I go from thy spirit? or whither shall I flee from thy presence?
>
> If I ascend up into heaven, thou art there; if I make my bed in hell, behold, thou art there.
>
> If I take the wings of the morning, and dwell in the uttermost parts of the sea;
>
> Even there shall thy hand lead me, and thy right hand shall hold me (Psalm 139, 5, 7–10).
>
> The heavens declare the glory of God; and the firmament sheweth his handywork (Psalm 19, 1).

There is a beautiful story dating from the seventeenth century. A young novice in Northern France, a very good-hearted, but not very bright boy, who could be used for kitchen-work only, as his intellect was rather undeveloped, stepped once out of his monastery on the high-road. He saw before him a naked tree, deprived already of all its leaves, as it was November. And suddenly the thought presented itself to his mind, that in the spring the tree would be again covered with leaves and blossoms and sap again would stream through its branches, and the idea of the majesty and the omnipotence of God flashed on him with such a force, that he became a totally other man – of great spiritual insight, deeply aware of the all-pervading Presence of

God. So God revealed Himself to him through a naked tree. One could quote many similar examples: the majesty of God revealing itself to the soul in the beauty, in the quiet and silence and the intense and silent life of Nature.

God's nearness, God's presence can dawn on us from different quarters, from different events and experiences of our life. We can hear His voice in the warmth and the sanctity of the family hearth, in the tenderness of domestic affections, in happiness and joy, in the blissful atmosphere of family love, but also in sorrowful visitations, in pain and suffering. We feel His presence in the voice of our moral conscience, in the inspiration which incites us to deeds of heroic self-sacrifice. In the beauty of heroic self-abnegation, in the perseverance of long silent hours of courageous suffering born for His sake, His nearness is felt. We feel it especially when we try to alleviate the suffering of our brethren: 'I was hungry, and you gave Me to eat; I was thirsty, and you gave Me to drink; I was naked, and you clothed Me; I was homeless, and you took Me in your house; I was sick and in prison, and you came to Me. . .' 'Because you did it to one of the least of these My brethren, you have done it unto Me.' He is the living background on which these our brethren stand and live. When they suffer, His mystical presence in them, through them, behind them becomes especially apparent.

Not only these brethren can be deeply touched and moved, when a saving hand is stretched out to them, not only *they* feel then the nearness of the saving and helping Lord in this helping brotherly hand, in this deed of brotherly love which saves them and cheers them up, but in a far greater measure *we*, if we are the helping ones, if this help, this saving deed is being accomplished through us, if we become the channel, so to say, of this saving action towards our brethren, much more we – I say – may receive the great boon, the great grace of feeling His Presence, that suddenly discovers itself to us in the suffering brethren. Not that the brother becomes by himself uninteresting to us, not that his individuality is, so to say, merged into, swallowed up for us by the Presence of the Divine. Just the contrary: this human concrete individuality of the least of our brethren whom we are actively helping, becomes of immense value in our eyes, becomes precious to us: it is enlightened, is illuminated for our spiritual eye by the presence of Christ in this, perhaps the least one, the least interesting and inspiring one, our suffering brother. This is the Christian immanence of Divine Love, this is what makes the person of the least of our brethren so sacred, this is what gives to authentic Christian love a *mystical tone*: the sense of the nearness, of the presence of the Lord. This is one – and perhaps the most telling and convincing one – of the real mystical encounters between God and the Christian soul.

V

WE said already: the outstanding, striking feature of the mystical experience, of the mystical encounter between God and the soul on its height is the most intimate union of Divine Transcendence with Divine Immanence. Here, present, 'taking hold of me', 'laying His hand on me', more: the Fount of my being, felt by me as such (the 'Root of Life', according to Plotinus), my Lord and my King and my Master, taking abode in me, the Inner Light, illuminating all my being, the Precious Pearl of the soul – and at the same time Unfathomable and Unutterable Majesty, the Transcending Light that dazzles, the Fire that consumes all that is unclean, that makes the creature kneel down in silent adoration. 'Take off thy shoes from off thy feet, for the place whereon thou standest is holy ground.'

'Engradeceis vuestra nada!' says St Teresa of Spain. ('Thou fill'st with grace this Nothing!') 'Feu' ('Fire') – so begins the 'document' of Pascal, written by him in the night of his Conversion. 'O lámparas de fuego!' ('Oh, flashes of Fire!') exclaims John of the Cross.

The central experience of the Christian mystic (but we find this also in theistic mystical experience outside of Christianity, for instance, in Persia and medieval India) is that the High One, the Supreme One voluntarily and freely condescends, 'stoops down' to come to me, to fill up the chasm between His Majesty and Glory and my Nothingness. And this enhances my feeling of admiring gratitude, my sense of being overwhelmed, being laid hand upon by the boundless Love. 'Who art Thou, O my sweetest God ('o dulcissime Deus meus') and who am I, the little servant and worm before Thy face?' says Francis of Assisi. 'I am not worthy that Thou enterest under the roof of my house' – so speaks the soul in the Eucharistic prayers – in East and West – before the Communion.

The condescending humility and loving-kindness of the Almighty God: that is the keynote of Christian mystical experience and Christian piety. That is also the whole contents, the whole purport of the Christian message, of the witness of the apostles.

VI

'We have seen . . . His *Glory*'. 'We have touched with our hands' – and That was 'the Life Eternal'. Immanence and Transcendence given simultaneously: this is the message. This is based on a fact, and this fact is: the Word among us, manifested in Flesh, having become Flesh. Most intimate fusion, or rather synthesis of Transcendence and Immanence, but not only in our interior experiences and emotions, but in *a fact*, in that which has really taken place. 'We have heard and seen and touched it with our hands . . . and we bear witness thereof,' and that was 'the Life Eternal'. The salvation of the world lies in the fact, that Transcendent God became Man, became near to me and like me, and that we are now 'grafted' on Him.

Not only He condescended, but now our poor Humanity is grafted on His Divinity, in order that it should share in His Transcendence and Glory.

SOLOMON SCHECHTER AND AHAD HA'AM

BY NORMAN BENTWICH

I HAVE chosen for the subject of my contribution the likenesses and differences between two Jewish thinkers of the last generation with whom Dr Baeck has spiritual attachment. Like him, they had a deep faith in the spiritual and universal mission of Israel. They are Solomon Schechter and Ahad Ha'am. I knew Schechter from my early childhood when he taught me my Aleph Beth. Ahad Ha'am I knew for the last twenty years of his life, when he resided in London and finally in Tel Aviv, Israel.

Dr Baeck has told me that one of his great regrets was not to have met Schechter and known him personally. It is fifty years since Schechter left England for New York to be President of the Jewish Theological Seminary of America, and thereafter he came seldom to Europe. It is just under a hundred years since Ahad Ha'am was born, and fifty years since he came to England, a year after Schechter had left it. The two heralded an age of the spiritual Renaissance of Judaism. Both of them came to the science of Judaism (Juedische Wissenschaft) from a Hassidic environment and from the East-European Haskala (Enlightenment), and both turned from science to regeneration.

Dr Baeck shares with these two sages of the last generation the will to apply the teaching of Juedische Wissenschaft, which had been the great cultural contribution of the nineteenth century, not merely to illumine the past, but to give some inspiring doctrine for the present problems of Judaism. Like Schechter and Ahad Ha'am, he has been concerned with the spiritual emancipation which, since the tragic catastrophe in Germany and Central Europe and the resurgence of Messianic hopes by the establishment of the State of Israel, has become a common aim alike of the Jews in the land and the Jews in the dispersion. It may be opportune then, in connection with the honouring of his eightieth birthday, to consider what they contributed to that aim.

In the life and in the thought of Schechter and Ahad Ha'am there is a remarkable likeness – and a diversity. Both were the offspring of East-European Judaism: both came from Chassidic families which yet were devoted to Rabbinical knowledge. Both imbibed in early manhood the enlightenment of the Haskala, and turned by their own effort to gather secular knowledge. Both revolted against the secular outlook: and were concerned to find in Jewish tradition a living principle for the modern age. Both preserved from the influence of the Haskala an ardour for Hebrew, and a rejection of Yiddish as the vehicle of Jewish literature. Both cherished the conviction that, through a spiritual centre in the land of Israel, which should bring a revival of Jewish consciousness in other countries, the Jewish people will find salvation and become again a living spiritual force. Both had a love of English thought and literature, and the teaching of both was carried in their lifetime to English-speaking Jewry.

On the other hand there was signal difference in their approach. Solomon Schechter was essentially a scholar of Jewish lore. He sought that learning and knowledge from his childhood, and never swerved from the quest. He came by stages to the West: from his native Roumania to the Beth Hamidrash at Vienna, to the Hochschule for Judaism at Berlin, to London and the British Museum as a stepping-stone to an academic post at Cambridge University, and finally, to New York as the President of the Jewish Theological Seminary of America. His ambition was to add to knowledge and to discover fresh truth about Judaism and the history and literature of the Jewish people. His quest was richly rewarded. By a romantic chain of events he was able to explore a new continent, as it were, of

Jewish lore. He found it in the Geniza or hidden archives of the ancient community of Cairo. Through that find he restored the Hebrew text of one of the famous books of the Wisdom literature of the Apocrypha from the Hellenistic period, the book of Ben Sira, and made an immense addition to the knowledge of Jewish life and letters in the medieval era. His discoveries opened new chapters in the knowledge of the Bible, Rabbinical literature, Jewish history and Jewish law over a thousand years.

His other lifelong ambition, to build up a school of Judaism, which should assert the religious universalist tradition against the destructive forces of assimilation and ignorance, was satisfied in a measure when he became the head of a rabbinical school in the biggest centre of Jewry, and the recognized representative of traditional Judaism in that community and a prophet of the counter-reformation. He had an unquenchable belief in what he called Catholic Israel, which represented the conscience of the nation through the centuries and enshrined its belief and practice. The greatest enemy of Judaism was ignorance, which led to disintegration and fragmentation. In his Seminary he endeavoured to lay a foundation of knowledge and to inspire the love of research without which knowledge cannot be vivid. The Jews had long been intellectual Schnorrers. They should no longer leave it to the Christians to interpret the Hebrew prophets.

The life of Ahad Ha'am had not the romantic quality of Schechter's. But it led on directly to his goal, the spiritual centre in the land of Israel. In the pursuit of secular knowledge he moved from a small Russian township to Vienna in the very year that Schechter moved from Berlin to London. But after a few months he felt unable to pursue studies at the University, and returned to Russia to continue his self-education. He became the leader of the Lovers of Zion in Odessa for some twenty years and the Editor of the principal Hebrew review, and then migrated to London soon after Schechter had migrated from London to New York. In London his home was the spiritual Mecca of older and younger Zionists; but his activity as a Hebrew publicist was restricted. After the end of the First World War he moved his home to Tel-Aviv, and died there in 1927. Though a wanderer in space, like so many Jews of his age, his life was concentrated on the illumination of Judaism and on the spiritual foundation of a national revival. He was the interpreter of Jewish thought in the light of European ideas, while Schechter interpreted European thought in the light of Hebrew ideas. Deeply influenced by Darwin and Herbert Spencer, he was the man of reason and unswerving objectivity; while Schechter preserved the Chassidic virtues of enthusiasm and humility, and was more influenced by the great religious mystics of the West and by the personality of Abraham Lincoln. Ahad Ha'am approached Judaism from the standpoint of intellect nurtured by faith, while Schechter approached it from the standpoint of religious love strengthened by knowledge. The two Jewish sages were contrasted in temperament as two English thinkers of the previous generation, John Stuart Mill and Thomas Carlyle. The one was the reasoning philosopher: the other was the passionate prophet.

The two were alike in their attitude to writing. They gave their message in an essay or an article when they had something specific to say; but they shrank from writing a systematic treatise even on the subjects of which they were masters. Schechter indeed gave to scholarship authoritative editions of many Hebrew texts which he discovered. Ahad Ha'am had no parallel activity as a scholar; but as editor in Russia of the 'Haishiloah' Hebrew Review exercised a decisive influence on the Hebrew language. All his writing was in Hebrew and addressed to Jews; a great part of Schechter's was in English and addressed to the larger public.

Schechter attained a lucid and epigrammatic English style

by reading of the English classics. Ahad Ha'am's Hebrew style was based on the Mishna, but his methods of exposition owed much to English models. Among his favourite books were the philosophical treatises of Locke, Hume, Mill, and Herbert Spencer. Although they both brought their teaching to the English-speaking communities in English, the one in his original essays and studies, and the other through the translation of his Hebrew essays, they both believed in the virtue of Hebrew as a link of the Jewish people.

They would both have rejoiced in the almost miraculous development in our time of Hebrew as a living language, not only in the Land of Israel, but in every Jewish community, so that today it is a common language of speech and writing for an ever-growing number of Jews. Ahad Ha'am projected a Hebrew Encyclopaedia, which should do for the Jewish national revival what the French Encyclopaedia in the eighteenth century did for France before the Revolution. He would have rejoiced that such a project is being carried through in Israel; and both he and Schechter would rejoice at the expansion of the Hebrew language in this generation to express every aspect of thought and knowledge. When the question of the use of Hebrew or German as the language of teaching in the projected Technical Institute at Haifa was being hotly debated, the two sages, who were both members of the international Board of Governors, agreed to the compromise that German might be used temporarily for the teaching of certain technical subjects. Schechter remarked that it might be difficult to write the correct formula in Hebrew, 'and the boiler would blow up just the same if there had been a mistake.' Today the formulas are written in Hebrew as exactly as in English or German.

Both Schechter and Ahad Ha'am, children of the East European Ghetto, were conscious of the need for the fullest co-operation between Eastern and Western Jewry if Judaism was to survive. In one of his epistles to the Jews of England, which were his 'envoi' when he was about to leave Cambridge for New York in 1901, Schechter wrote: 'We (that is, the Western Jews) have the men and the money and a good deal of system too, but they (the Eastern Jews) have the simple faith, the love and the will and the strength to live and to die for the concept of Judaism... We have the method and they have the madness. Only if we combine can the victory be ours.'

The two were agreed in the invincible search for truth which repudiated exaggeration. Chutzpa in speech or in writing was a cardinal sin. In their attitude to Judaism they had an agreement about fundamentals. The Bible was for them the foundation of the Jewish genius. 'Our great claim', wrote Schechter, 'to the gratitude of mankind is that we gave the Bible to the world; that is our sole *raison d'être*... The Bible is our patent of nobility.' 'So long as the Bible is extant,' wrote Ahad Ha'am, 'the creative power of the Jewish mind is unchallengeable.'

Both realized the revolution which the historical method of the modern age had worked in religious ideas; but both were convinced that, rightly understood, it did not touch the essence of Jewish tradition but required a fresh development of it. The one had a dispassionate appreciation for the tradition, the other a passionate enthusiasm. The one derived Jewish ethics from the experience of the Jewish people, the other from a continuous revelation through the synagogue. The one expounds Jewish insistence on morality and justice by historical circumstances, the other derives it from religious inspiration.

Ahad Ha'am, the younger man, taught Zionism to the older – through his writings collected in: 'At the Parting of the Ways'. It was only in America in 1906 that Schechter first declared himself a Zionist. But he was in a sense a Zionist born. There-turn of Israel to the Land was part of his faith from his youth, and his twin brother was amongst the earliest settlers on the soil from Roumania, one of the founders of the village Zichron Jacob. Solomon Schechter visited the Land at the end of his mission of discovery in Egypt in 1897, and from that time took an abiding interest in the development of Jewish agriculture and of Jewish culture in the Land. He insisted on the spiritual revival as the essence of Zionism. Palestine must be the 'centre of Judaism and not merely the National Home of Jews. You cannot sever Jewish nationality from Jewish religion.' The assimilation of Jewish nationalism to the nationalism of other peoples, as a purely secular movement, was more dangerous than the assimilation of the individual Jew to the culture and outlook of his environment. And he welcomed Zionism above all as a bulwark against that kind of assimilation.

Ahad Ha'am, though not regarding the detailed observance of the Law as essential to Jewish life, yet insisted on the spiritual idea as the foundation of the rebirth of the nation. The Jews could not just found a secular State, and Zionism was the declaration of Jewish independence from slavery, spiritual as well as material. The Jewish Home must realize the prophetic teaching of social justice. They both believed that the National Home must be a spiritual centre for the whole Jewish people, reviving Jewish consciousness everywhere, and making Judaism again a living force. The motive power was rather the exile of the Jewish soul than the exile (Galut) of the individual Jew, the plight of Judaism rather than the plight of the Jews.

They might both be perturbed by certain developments of the Jewish State during these years of struggle since the declaration of independence, but with their historical sense, and their power of examining the present in the light of the tradition of 3,000 years, they would have much cause for satisfaction and for hope. They would surely rejoice in the establishment of the Hebrew University, where both Jewish science and the universal sciences are studied, in the creative spirit of the Jewish Yishuv compounded of all the scattered tribes of Israel, in the Jewish conscience awakening everywhere to the fatality of a self-destroying assimilation, in the strengthened link between the two living centres of Jewry, the Land of Israel and the Diaspora. And they would both have realized that each generation must think out Judaism in its own way and in relation to its own problems. As Schechter was fond of saying: 'You cannot love God with your father's heart'.

SAMUEL UND DIE LADE

VON MARTIN BUBER

Diese Seiten über Samuels „Liberalismus" entnehme ich, Leo Baeck zu Ehren, dem Manuskript meines Buches Der Gesalbte (Das Kommende II).

I

Von dem Erzähler der Elidenweissagung wird Samuel aufs stärkste mit der Lade verbunden, und diese Verbindung klingt, zumal in der Berufungsgeschichte, überzeugender als das Kindheitsidyll. Die Offenbarung JHWH's, die ihm Kap. 3, die Sterilität des priesterlichen Orakels (v. 1 b) durch eine neue und fruchtbare göttliche Initiative überwindend, zuteil wird, geschieht an der Lade, und mit besonderer Absicht wird der – durch siebenfache Wiederkehr von *schakhab* unterstrichen – Nachricht (v. 3), er habe im Hekhal JHWHS gelegen, der an sich unnötige Vermerk beigefügt: „wo die Gotteslade ist". Daraus ist, auch zusammen mit v. 21, nicht zu entnehmen,[1] „dass in Silo ein Inkubationsorakel bestand und aufgesucht wurde, das sich für seinen Ursprung auf dieses Erlebnis Samuels berief"; Ätiologie ist ein starkes Element der Sagengeschichte, aber lösbar ist die Tradition in ihr nicht, und in I Samuel 3, 2 ff. ist für den religionshistorisch interessierten wie für den naiven Leser zu spüren, wie der Erzähler vom Eindruck des ungeheuer Einmaligen regiert wird. Die Lade wird betont, weil es um die Lade geht. Die Offenbarung an Samuel, die nun folgt, hat – sei es in ihrem ganzen Kernbestand, sei es in ihrem Anfang – die Katastrophe der Lade zum Gegenstand; nur so kann der unverkennbar frühe v. 11 verstanden werden; der Herr der Lade sagt ihre Verschleppung und Entweihung an. (An dieser Stelle ist eine, nicht nachträg-

[1] Budde, *Ephod und Lade*, ZAW xxxix (1921) 35; so schon Stade, *Biblische Theologie des AT* I (1905) 130 f.

liche, sondern ursprüngliche Verknüpfung mit der Ladegeschichte offenkundig.) Dass diese Ansage an Samuel geschieht, deutet darauf hin, worauf der Erzähler von Anbeginn nachdrücklich hindeuten will: Samuel ist von JHWH, der sich zum Strafgericht rüstet, dazu ausersehen, in der ladenlosen, heiligtumsberaubten Zeit an Stelle der verurteilten Priesterschaft, ohne Ephod, als freier Nabi die göttliche Stimme zu tragen.

Von dieser Grundanschauung aus will offenbar auch die Erzählung von Samuel und Saul ihre Anfangssituation verstanden wissen. Dass die Lade von dem Grenzbezirk, in dem sie sich zuletzt befindet, nicht nach dem eigentlichen israelitischen Bereich in eins der Heiligtümer gebracht wird, ist mit Recht[1] als „einer der sonderbarsten Umstände eines sonderbaren Zeitalters" bezeichnet worden. Welcher Ursache immer es zuzuschreiben ist – Widerstand der Leute von Kiriath J^earim, Einspruch der Philister, Entheiligung, entweder durch den Aufenthalt beim Feind überhaupt oder durch Beraubung um den Inhalt usw. –, die Erzählung gibt zu verstehen: JHWH hat zwar seine Lade aus der Philistergewalt geholt, aber Israel will er sie nicht, noch nicht zurückgeben. Das ist der Hintergrund des Berichts vom Sündenbekenntnis der Gemeinschaft. JHWH's Lade bedeutet seine führende Gegenwart; er hat sie grausam dem Volke entzogen; wie soll es ohne sie sich vom Joch befreien? Dieser Klage begegnet Samuel damit, dass er, der Nichtpriester, der die Versammlung einberufen hat, „für Israel" „schreit"; und JHWH „antwortet ihm", was sich darin bestätigt, dass ein Anschlag der Philister auf die Versammlung abgewandt wird. Hatte in dem Versstück zwischen Eliden- und Ladengeschichte (3, 20 – 4, 1 a) JHWH über seine Verwünschung hinaus sich Samuel zu Silo offenbart, so offenbart er sich ihm jetzt wieder vor allem Volk, er antwortet ihm, dem freien Nabi ohne Lade und Ephod, wie er sonst nur dem Priester antwortet. Die Lade kommt nicht zurück; aber um

[1] Kennedy, 1 and 2 Samuel 325.

die Gegenwart JHWHS zu empfangen, bedarf es der Lade nicht.

II

IN der Geschichte von der Verwünschung der Eliden, die in ihrem Kernbestand bald nach der Ladegeschichte entstanden sein dürfte, wird Samuel die erste nichtanonyme Unheilsprophetie der Bibel in den Mund gelegt. Trotz der ersichtlichen Tendenz der Geschichte, Samuel der elidischen Priesterschaft gegenüber ins Recht zu setzen und seine Haltung gegen sie zu rechtfertigen, besteht kein Grund, an der Echtheit der Überlieferung zu zweifeln. Wenn man von den Daten des Textes über Samuel dieses abzöge, dass er Auditionen hat, dann entfiele überhaupt die Möglichkeit, sich von einer geschichtlichen Person dieses Namens ein Bild zu machen; und dass er gegen die Priesterschaft steht – d.h. bei einem auditionellen Menschen: dass er sich als gegen sie gestellt erfährt –, ergibt sich aus seiner Haltung nach der Katastrophe. Als frondierender Priester darf Samuel nicht angesehen werden; nichts wiest darauf hin, dass er ein rivalisierendes Priestergeschlecht zu gründen versuchte. Man kann die Zeitlücke zwischen der Erzählung von der Niederlage und der von der Versammlung der Klagenden, zu deren Beginn (7, 5) Samuel bereits die vom Volk anerkannte Autorität innehat, nicht anders ausfüllen als dadurch, dass der Mann, der die Katastrophe des priesterlichen Zentrums angesagt hatte, sich nach ihr der für den Einfluss auf die Gemeinschaft entscheidenden Prärogativen der Priesterschaft bemächtigt und diese, anscheinend ohne ein gewaltsam aggressives Vorgehen, faktisch innerhalb seines Wirkungskreises entbehrlich macht. Er tut es als Nabi, d. h. als einer, der aus Offenbarungskunde auch initiativ, *unbefragt* redet; von keinem unter den Priestern Israels hören wir dergleichen je. In seiner Offenbarungskunde ist er – so meint es wohl der Verfasser des Versstückes 3, 20 bis 4, 1 a und gewiss der Redaktor, der es an dieser Stelle einfügte – durch die von ihm angesagte Katastrophe endgültig als *neeman*, als betraut und beglaubigt erwiesen. Aber ein die sakrale und damit auch die weltliche Machtschichtung änderndes Handeln, wie das seine, ist nur möglich, wenn es von einem aktiven Kreis getragen wird. Der Versuch, das Bild eines geschichtlichen Samuel zu gewinnen, wird mit Notwendigkeit auf seinen Zusammenhang mit den N^ebiim hingeführt.

III

DIE Einsicht wächst, dass in den spärlichen Nachrichten über das jeweilige Auftauchen n^ebiischer Scharen die Spur einer grossen, über viele Geschlechter sich hinstreckenden „religiösvölkischen Bewegung"[1] zu finden ist, und dass insbesondere in den Tagen der Philisterherrschaft ihnen „einer der stärksten Antriebe zur Unabhängigkeit"[2] zuzuschreiben ist. Nur wenn das vom Erzähler gemeinte Zusammenwirken Samuels, der den moschia beruft, mit ihnen, die ihn in die Gemeinschaft ihrer Begeistung aufnehmen, deutlich erkannt wird, versteht man Ursprung und Anfänge der Befreiungshandlung. Aber auch nur von diesem Zusammenwirken schon in der Zeit der Katastrophe her klärt es sich, dass Samuel da, als Nabi und von den N^ebiim getragen, die gescheiterte Priesterschaft verdrängt und die priesterliche Führung durch die prophetische, das gebundene Orakel durch das freie und anscheinend auch das den Priestersitzen verhaftete Gemeinschaftsopfer durch ein wanderndes ersetzt.

Ich habe[3] zu zeigen versucht, dass die frühisraelitische n^ebiische Bewegung, gleichviel, wann und wie der Name entstanden ist, ihren Ursprung in den äusseren und inneren Erschütterungen des werdenden Volkswesens in der Zeit nach den entscheidenden Akten der Landnahme hat, und dass sie es ist, deren Gesinnung sich, um nur das Unumstrittene anzu-

[1] Volz, *Der eschatologische Glaube* (Beer-Festschrift) 78.
[2] Th. H. Robinson bei Robinson-Oesterley, A History of Israel I 179 f.
[3] *Königtum Gottes*[2] 163 ff.

führen, in dem Deboraspruch Richter 4, 14 und dem Deboralied geradezu urkundlich äussert, so dass schon daher der Bezeichnung Deboras als N^{e}bia eine zumindest posthume Berechtigung zukommt. *Ha-lo* Jhwh *jaza l^{e}-phanekha*, zog Jhwh nicht aus vor dir her? – so redet Debora den Barak an. Es ist der Gott selber, der seinem Volk in den Kampf voranzieht. „Nein, sondern ein Melekh soll über uns sein, dass auch wir werden wie all die Völker, Recht schaffen soll uns unser Melekh, ausziehen soll er vor uns her – *w^{e}-jaza l^{e}-phanenu* – und unsern Kampf kämpfen" – so reden I Samuel 8, 20 die Ältesten Israels Samuel an, und er antwortet, nachdem ihnen vom Willen Jhwh's aus modifiziert ihr Wille geschehen ist, 12, 12: „Ist doch Melekh euch Jhwh, euer Gott!" Der wahre Vorangänger, der wahre Vorkämpfer, der wahre Führer, der wahre Melekh[1] ist Jhwh. Das ist n^{e}biische Haltung, mit oder ohne Nabi-Namen, und wo immer sie sich kundtut, tut das Nabi-Wesen sich kund, eben jenes Urwesen, das der Debora ihren Spruch eingibt. Der scheinbar von einer Spätzeit konstruierte Samuel von Kap. 12 sagt in dessen Kernbestand nichts andres als sie.

Von da aus ist die Katastrophe der Lade und ihre Folgen erneut zu betrachten. Schon dem Zug des Volkes nach Kanaan soll die Lade vorangezogen sein (Numeri 10, 33). „Dass zerstieben deine Feinde, dass entfliehen deine Hasser vor deinem Angesicht!" heisst der alte Spruch (v. 35) bei ihrem Auszug rufen, der an den Schluss des Deboraliedes gemahnt. Nun holt (I Samuel 4, 3 ff.) in der äussersten Kriegsnot das Volk die Lade ins Lager, und sie zieht ihm voran – in den Zusammenbruch. Es wird erzählt, dass sie an einen Grenzort im israelitischen Machtbereich zurückgebracht wird (ein geschichtlicher Kern der Fabel kann kaum abgestritten werden), aber Samuel, der Verkünder des selber voranziehenden Jhwh, holt sie nicht ein. Über all die hier möglichen Motivationen hinaus

[1] Vgl. a.a. O. xxiii ff., 78 f.

wittert man das dem Erzähler Unsagbare: er will es nicht tun. Denn eine Lade, die von den Philistern erbeutet werden konnte, kann nur noch das Zeichen sein, dass JHWH jeweils so voranzieht, wie er selber voranziehen will, so führt, wie er selber führen will, und nicht so, wie man ihn voranziehen und führen lassen möchte. Man hat JHWH nicht, wenn man die Lade hat; gerade, wenn man ihn zu haben meint, hat man ihn nicht. Kein andrer als JHWH selber hat seine Lade nehmen lassen; nun hat er sie aus der Philistergewalt geholt, aber Israel will er sie nicht, noch nicht zurückgeben, denn er will nicht, dass man sich seiner bediene, statt ihm zu dienen. Nicht, dass man ihn zum Führer herbeibeschwöre oder herbeibete, will JHWH, und nicht, dass man, um sich seiner zu bedienen, „Gottesdienst" leiste. Was er will, ist Gehorsam. „Hören geht übers beste Schlachtopfer" (I 15, 22) könnte ein echtes Samuelwort sein.[1] Gottesführung ohne Lade, das ist in der Stunde der von ihm angekündigten Katastrophe Samuels „Idee". Es ist die n^{e}biische. Die Priesterschaft, die das Unheil verschuldet hat, muss ausgeschaltet werden. Die Lade hatte ihren Sitz in einem von Priestern verwalteten Heiligtum; als ihr *m^{e}schareth* hat der junge Samuel einst in ihrem Hekhal geschlafen, aber ebenda ist ihm der Zusammenbruch angesagt worden. Keine Lade – keine starre Kultbindung mehr, gelockert, freizügig der Opferdienst. Keine Lade – kein Pilgern zum dinggebundenen Orakel mehr, selber von Ort zu Ort wandernd ist der Gottesmensch da, zu dem JHWH redet, und der zu sagen vermag, was dessen führender Wille ist. Man kann JHWH's Hand nicht zwingen, auch gegen die Philister nicht; das Andauern ihrer Übermacht gehört in sein Handeln und Planen auf Israel zu. Man hat ihm gesündigt; man muss bekennen und beten, man darf es. Er ist kein Scheinkönig, dem man diktieren kann, er ist der wahre Melekh. Nur wer ihn fürchtet und auf seine Stimme hört (12, 14), wird von ihm zum Heil geführt.

[1] Vgl. Weiser, 1 Samuel 15, ZAW NF xiii (1936) 24.

NEUN APHORISMEN

VON ALBERT EINSTEIN

Heil dem Manne, der stets helfend durchs Leben ging, keine Furcht kannte, und dem jede Aggressivität und jedes Ressentiment fremd war. Von solchem Holz sind die Idealgestalten geschnitzt, die der Menschheit Trost bieten in den Situationen selbstgeschaffenen Leidens.

*

Dem Streben, Weisheit und Macht zu vereinigen, war nur selten und nur auf kurze Zeit Erfolg beschieden.

*

Der Mensch vermeidet es gewöhnlich, einem andern Klugheit zuzuschreiben – wenn es sich nicht etwa um einen Feind handelt.

*

Wenige sind imstande, von den Vorurteilen der Umgebung abweichende Meinungen gelassen auszusprechen; die Meisten sind sogar unfähig, überhaupt zu solchen Meinungen zu gelangen.

*

Die Majorität der Dummen ist unüberwindbar und für alle Zeiten gesichert. Der Schrecken ihrer Tyrannei ist indessen gemildert durch Mangel an Konsequenz.

*

Um ein tadelloses Mitglied einer Schafherde sein zu können, muss man vor allem ein Schaf sein.

Die Kontraste und Widersprüche, die dauernd in einer Hirnschale friedlich nebeneinander hausen können, werfen alle Systeme der politischen Optimisten und Pessimisten über den Haufen.

*

Wer es unternimmt, auf dem Gebiete der Wahrheit und der Erkenntnis als Autorität aufzutreten, scheitert an dem Gelächter der Götter.

*

Freude am Schauen und Begreifen ist die schönste Gabe der Natur.

A PREFACE TO AN UNDERSTANDING OF REVELATION

BY ABRAHAM JOSHUA HESCHEL

WE have never been the same since that day on which Abraham crushed his father's precious symbols, since the day on which the Voice of God overwhelmed us at Sinai. It is for ever impossible for us to retreat into an age that predates the Sinaitic event. Something unprecedented happened. God revealed His name to us, and we are named after Him. There are two Hebrew names for Jew: *Yehudi*, the first three letters of which are the first three letters of the Ineffable Name, and *Israel*, the end of which, *el* means in Hebrew God.

If other religions may be characterized as a relation between man and God, Judaism must be described as a relation between *man with Torah* and *God*. The Jew is never alone in the face of God. The Torah is always with him. A Jew without the Torah is obsolete.

The Torah is not the wisdom but the destiny of Israel; not our literature but our essence. It was produced neither by way of speculation nor by way of poetic inspiration but by way of revelation. But what is revelation?

THE MISTAKEN NOTION

Many people reject the Bible because of a mistaken notion that revelation has proved to be scientifically impossible. It is all so very simple: there is no source of thought other than the human mind. The Bible is a book like any other book, and the prophets had no access to sources inaccessible to us. 'The Bible is the national literature of the Jewish people.' To the average mind, therefore, revelation is a sort of mental outcast, not qualified to be an issue for debate. At best, it is regarded as a fairy-tale, on a par with the conception that lightning and thunder are signs of anger of sundry gods and demons, rather than the result of a sudden expansion of the air in the path of an electric discharge. Indeed, has not the issue been settled long ago by psychology and anthropology as primitive man's mistaking an illusion for a supernatural event?

WE FORGOT THE QUESTION

The most serious obstacle, however, which we encounter in entering a discussion about revelation does not arise from our doubts, whether the accounts of the prophets about their experiences are authentic; the most critical vindication of these accounts, even if it were possible, would be of little relevance. The most serious obstacle is *the absence of the problem.* An answer, to be meaningful, presupposes the awareness of a question, but the climate in which we live today is not genial to the growth of questions which have taken centuries to bloom. The Bible is an answer to the supreme question: What does God demand of us? Yet the question has gone out of the world. God is portrayed as a mass of vagueness behind a veil of enigmas, and His voice has become alien to our minds, to our hearts, to our souls. We have learned to listen to every ego except the 'I' of God. The man of our time may proudly declare: nothing animal is alien to me but everything divine is. This is the status of the Bible in modern life: it is a great answer, but we do not know the question any more. Unless we recover the question, there is no hope of understanding the Bible.

IS IT A MEANINGFUL PROBLEM?

Revelation is a complex issue, presupposing first of all certain assumptions about the existence and nature of God who communicates His will to man. Even granting the existence of a Supreme Power, the modern man, with his aloofness to what

God means, would find it preposterous to assume that the Infinite Spirit should come down to commune with the feeble, finite mind of man, that man could be an ear to God. With the concept of the Absolute so far removed from the grasp of his mind, man is, at best, bewildered at the claim of the prophets like an animal when confronted with the spectacle of human power. With his relative sense of values, with his mind conditioned by circumstances and reduced to the grasp of the piecemeal, constantly stumbling in his efforts to establish a system of universally integrated ideas, how can it be conceived that man was ever able to grasp the unconditioned?

The first thing, therefore, we ought to do is to find out whether, as many of us seem to think, revelation is an absurdity, whether the prophetic claim is an intellectual savagery.

IS IT A MEANINGFUL QUESTION?

Is it meaningful to ask: Did God address Himself to man? Indeed, unless God is real and beyond definitions that confine Him; unless He is unfettered by such distinctions as transcendence and immanence; unless we feel that we are driven and pursued by His question, there is little meaning in starting our inquiry. But those who know that this life of ours takes place in a world that is not all to be explained in human terms; that every moment is a carefully concealed act of His creation, cannot but ask: Is there any event wherein His voice is not suppressed? Is there any moment wherein His presence is not concealed?

True, the claim of the prophets is staggering and almost incredible. But to us, living in this horribly beautiful world, God's thick silence is incomparably more staggering and totally incredible.

WHY STUDY THE PROBLEM?

Is it historical curiosity that excites our interest in the problem of revelation? As an event of the past that subsequently affected the course of civilization, revelation would not engage the modern mind any more than the battle of Marathon or the Congress of Vienna. However, it concerns us not because of the impact it had upon past generations but as something which may or may not be of perpetual, unabating relevance. Thus, in entering this discourse, we do not conjure up the shadow of an archaic phenomenon, but attempt to debate the question whether to believe that there is a voice in the world that pleads with man at all times or at some times in the name of God.

It is not only a personal issue, but one that concerns the history of all men from the beginning of time to the end of days. No one who has, at least once in his life, sensed the terrifying seriousness of human history or the earnestness of individual existence can afford to ignore that problem. He must decide, he must choose between Yes and No.

IS REVELATION NECESSARY?

In thinking about the world, we cannot proceed without guidance, supplied by logic and scientific method. Thinking about the ultimate, climbing toward the Invisible, leads along a path on which there are countless chasms and very few ledges. Faith, helping us take the first steps, is full of ardour but also blind; we are easily lost with our faith in misgivings which we cannot fully dispel. What could counteract the apprehension that it is utter futility to crave for contact with God?

Man in his spontaneity may reach out for the hidden God and with his mind try to pierce the darkness of His distance. But how will he know whether it is God he is reaching out for or some value personified? How will he know where or when God is found: in the ivory-tower of space or at some distant moment in the future?

The certainty of being exposed to a Presence which is not the world's is a fact of human existence. But such certainty does not result in esthetic indulgence in meditation; it stirs with a demand to live in a way which is worthy of that Presence.

The beginning of faith is not a feeling for the mystery of living or a sense of awe, wonder or fear. The root of religion is the question what to do with the feeling for the mystery of living, what to do with awe, wonder or fear. Religion, the end of isolation, begins with a consciousness that something is asked of us. It is in that tense, eternal asking in which the soul is caught and in which man's answer is elicited.[1] Who will tell us how to find a knowledge of the way? How do we know that the way we choose is the way He wants to pursue?

What a sculptor does to a block of marble, the Bible does to our finest intuitions. It is like raising the dead to life.

METAPHYSICAL LONELINESS

The ideals we strive after, the values we try to fulfil, have they any significance in the realm of natural events? The sun spends its rays upon the just and the wicked, upon flowers and snakes alike. The heart beats normally within those who torture and kill. Is all goodness and striving for veracity but a fiction of the mind to which nothing corresponds in reality? Where are the spirit's values valid? Within the inner life of man? But the spirit is a stranger in the soul. A demand such as 'love thy neighbour as thyself' is not at home in the self.

We have all a terrible loneliness in common. Day after day a question goes up desperately in our minds: Are we *alone* in the wilderness of the self, alone in this silent universe, of which we are a part, and in which we also feel like strangers?

It is such a situation that makes us ready to search for the voice of God in the world of man: the taste of utter loneliness; the discovery that unless the world is porous, the life of the spirit is a freak; that the world is a torso crying for its head; that the mind is insufficient to itself.

[1] Man Is Not Alone, vol. I, p. 68 f.

ABRAHAM JOSHUA HESCHEL

SAYING NO TO MAN

Modern man used to think that the acceptance of revelation was an effrontery to the mind. Man must live by his intelligence alone; he is capable of both finding and attaining the aim of his existence. That man is not in need of superhuman authority or guidance was a major argument of the Deists against accepting the idea of prophecy. Social reforms, it was thought, would cure the ills and eliminate the evils from our world. Yet, we have finally discovered what prophets and saints have always known: bread and beauty will not save humanity. There is a passion and drive for cruel deeds, which only the fear of God can soothe; there is a suffocating sensuality in man, which only holiness can ventilate.

It is, indeed, hard for the mind to believe that any member of a species which can organize or even witness the murder of millions and feel no regret should ever be endowed with the ability to receive a word of God. If man can remain callous to a horror as infinite as God, if man can be bloodstained and self-righteous, distort what the conscience tells, make soap of human flesh, then how did it happen that nations did not exterminate each other centuries ago?

Man rarely comprehends how dangerously great he is. The more power he attains, the greater his need for an ability to master his power. Unless a new source of spiritual energy is discovered commensurate with the source of atomic energy, a few men may throw all men into final disaster.

What stands in the way of accepting revelation is our refusal to accept its authority. Liberty is our security and to accept the word of the prophets is to accept the sovereignty of God. Yet our understanding of man and his liberty has undergone a serious change in our time. The problem of man is more grave than we were able to realize a generation ago. What we used to sense in our worst fears turned out to have been a utopia compared with what has happened in our own days. We have discovered that reason may be perverse, that liberty is no security. Now we must learn that there is no liberty except the freedom bestowed upon us by God; that there is no liberty without sanctity.

Unless history is a vagary of nonsense, there must be a counterpart to the immense power of man to destroy, there must be a voice that says NO to man, a voice not vague, faint and inward, like qualms of conscience, but equal in spiritual might to man's power to destroy.

From time to time the turbulent drama is interrupted by a voice that says 'NO' to the recklessness of heart.

The Voice speaks to the spirit of prophetic men in singular moments of their lives and cries to the masses through the horror of history. The prophets respond, the masses despair.

The Bible, speaking in the name of a Being that combines justice with omnipotence, is the never-ceasing outcry of 'No' to humanity. In the midst of our applauding the feats of civilization, the Bible flings itself like a knife slashing our complacency, reminding us that God, too, has a voice in history. Only those who are satisfied with the state of affairs or those who choose the easy path of escaping from society rather than of staying within it and keeping themselves clean of the mud of vicious glories will resent its attack on human independence.

How did Abraham arrive at his certainty that there is a God who is concerned with the world? Said Rabbi Isaac: Abraham may be compared to a man who was travelling from place to place when he saw *a palace in flames*. 'Is it possible that there is no one who cares for the palace?' he wondered. Until the owner of the building looked out and said, 'I am the owner of the palace.' Similarly, Abraham our father wondered, 'Is it conceivable that the world is without a guide?' The Holy One, blessed be he, looked out and said, 'I am the Guide, the Sovereign of the world'.[1]

[1] *Genesis Rabba*, ch. 39.

The world is in flames, consumed by evil. Is it possible that there is no one who cares?

IS GOD CONCERNED?

There is an abyss of not knowing God in many minds, with a rumour floating over it about an ultimate Being, of which they only know: it is an immense unconscious mass of mystery. It is from the perspective of such knowledge that the prophets' claim seems preposterous.

Let us examine that perspective. By attributing immense mysteriousness to that Ultimate Being, we definitely claim to know it. Thus, the Ultimate Being is not an unknown but a known God. In other words: a God whom we know but one who does not know, the great Unknower. We proclaim the ignorance of God as well as our knowledge of His being ignorant!

This seems to be a part of our pagan heritage: to say, the Supreme Being is a total mystery, and even having accepted the Biblical God of creation we still cling to the assumption: He who has the power to create a world is never able to utter a word. Yet why should we assume that the endless is forever imprisoned in silence? Why should we *a priori* exclude the power of expression from the Absolute Being? If the world is the work of God, isn't it conceivable that there would be within His work signs of His expression?

The idea of revelation remains an absurdity as long as we are unable to comprehend the impact with which the reality of God is pursuing man. Yet, as those moments in which the fate of mankind is in the balance, even those who have never sensed how God turns to man, suddenly realize that man – who has the power to devise both culture and crime, who is able to be a proxy for divine justice – is important enough to be the recipient of spiritual light at the rare dawns of his history.

DIE AUFFASSUNG DER PERSÖNLICHKEIT JESU

VON KARL JASPERS

WAS Jesus nicht war, lässt sich leicht sagen. Er war kein Philosoph, der methodisch nachdenkt und seine Gedanken systematisch konstruiert. Er war kein Socialreformer, der Pläne macht; denn er liess die Welt, wie sie war, sie ist ja ohnehin am Ende. Er war kein Politiker, der umwälzend und staatsgründend handeln will; nie sagte er ein Wort über die Zeitereignisse. Er hat keinen Kult gestiftet, denn er nahm am jüdischen Kultus in der jüdischen Gemeinschaft teil wie noch die Urgemeinde; er taufte nicht; er hat keine Organisation geschaffen, keine Gemeinde, keine Kirche begründet. Was war er denn?

Der Versuch, Jesus zu charakterisieren, kann drei Wege beschreiten. Man kann ihn psychologisch in seiner individuellen Realität sehen; oder ihn historisch in einem übergreifenden geistigen Zusammenhang wahrnehmen; oder ihn wesenhaft in seiner eigenen Idee erblicken.

(a) *Mögliche psychologische Aspekte.* Nietzsche hat im Antichrist Jesus als psychologischen Typus geschildert: Eine extreme Leid – und Reizfähigkeit hat in Jesus ihre letzten Consequenzen gezogen. Die Realität ist ihm unerträglich. Er will von ihr nicht berührt werden. Sie ist bloss eine Welt von Zeichen, sie hat nur die Bedeutung, Gleichnis zu sein. Daher lebt Jesus nicht mehr in der Realität, sondern in dieser Fülle der Zeichen, einem in Symbolen und Unfasslichkeiten schwebenden Sein.

Der natürliche Tod ist für ihn keine Realität, ist auch keine

Brücke, kein Übergang. Auch er gehört zu der bloss scheinbaren, bloss zu Zeichen nützlichen Welt.

Unerträglich ist ihm jede Feindschaft, jedes Widerstreben, jede gegensätzliche Berührung seitens der Realität. Daher widersteht er nicht. Der Satz „widerstehe nicht dem Bösen!" ist für Nietzsche der Schlüssel zum Evangelium. Mit diesem Satz wird die Unfähigkeit zum Widerstand zur Moral erhoben. Jesus zürnt niemandem, er schätzt niemanden gering; er verteidigt nicht sein Recht, nimmt kein Gericht in Anspruch, lässt sich auch von keinem in Anspruch nehmen (Die Forderung: nicht schwören!) er fordert das Äusserste heraus und leidet dann noch mit denen, die ihm Böses tun, wehrt sich nicht, macht sie nicht verantwortlich, liebt sie.

Jesus verneint nichts. Es gibt für ihn keine Gegensätze mehr. Er verneint nicht den Staat, nicht den Krieg, nicht die Arbeit, nicht die Gesellschaft, nicht die Welt, garnichts. Das Verneinen ist das ihm ganz Unmögliche. Er kann nicht widersprechen. Er kann Mitgefühle haben und trauern über Blindheit derer, die nicht mit ihm im Licht stehen, aber er kann keinen Einwand machen.

Nur die innere Wirklichkeit ist eigentliche Wirklichkeit, sie heisst Leben, Wahrheit, Licht. Das Reich Gottes ist ein Zustand des Herzens. Es wird nicht erwartet, es ist überall da und nirgends da. Es ist diese Seligkeit der Lebenspraxis. Es beweist sich nicht durch Wunder, nicht durch Lohn und Verheissung, nicht durch die Schrift, sondern ist sich selbst sein Beweis, sein Wunder, sein Lohn. Seine Beweise sind innere Lichter, Lustgefühle, Selbstbejahungen, lauter „Beweise der Kraft". Das Problem ist, wie man leben muss, um sich im Himmel zu fühlen, um sich ewig zu fühlen, sich jederzeit göttlich, als Kind Gottes zu fühlen. Die Seligkeit ist die einzige Realität. Der Rest ist Zeichen, um von ihr zu reden. Vorbedingung, um überhaupt reden zu können, ist, dass kein Wort wörtlich genommen werde. Die Seligkeit ist ein Glaube, der sich nicht formuliert und nicht formuliert werden kann.

Jesus ist kein Held, ist kein Genie, eher noch passt das Wort Idiot. Zwischen dem Bergprediger, der solche Lehren bringt, und dem Theologen – und Priestertodfeind, dem Fanatiker des Angriffs, ist für Nietzsche ein unvereinbarer Widerspruch. Nietzsche legt daher alles, was in den Evangelien seinem Jesustypus nicht entspricht, der Erfindung der kämpfenden Urgemeinde zur Last, die einen kämpfenden Stifter als Vorbild braucht.

Aber Nietzsches Interpretation wird wohl niemanden ganz überzeugen. Denn es genügt nicht, Jesus durch Franz von Assisi zu sehen. Dass aus Worten des Evangeliums diese Linien herauszuheben sind, ist nicht zu leugnen. Aber dass sie für die entscheidenden, einzigen, wesenhaften gelten dürften, dagegen spricht die unbefangene Lektüre der Texte.

In ihnen begegnet Jesus als eine elementare Gewalt, in ihrer Härte und Aggressivität nicht minder deutlich als in jenen Zügen unendlicher Milde. Es heisst: er sah ringsherum im Zorn, – er fuhr ihn an, – er schalt ihn, – er bedrohte ihn. Ein Feigenbaum, an dem er vergeblich Früchte sucht, lässt er verdorren mit dem Fluch, nie mehr in Ewigkeit soll jemand von dir Frucht essen. Welche den Willen des himmlischen Vaters nicht tun, die wird Jesus beim Gericht verwerfen: ich habe euch nie gekannt; weichet von mir. Sie werden hinausgeworfen in die Finsternis, da wird sein Heulen und Zähneknirschen. Er droht: „Wer aber mich verleugnet vor den Menschen, den will auch ich verleugnen vor meinem Vater in den Himmeln. Denkt nicht, dass ich gekommen sei, Frieden zu bringen auf die Erde; ich bin nicht gekommen, Frieden zu bringen, sondern das Schwert. Ich bin gekommen, zu entzweien einen Menschen mit seinem Vater, die Tochter mit ihrer Mutter“. Städte, die nicht Busse tun, schmäht er: „wehe dir, Chorazin, wehe dir, Bethsaida – Tyrus und Sidon wird es erträglicher gehen am Gerichtstag als euch. Und du Kapernaum, wardst du nicht zum Himmel erhöht? Bis zur Hölle sollst du hinabgestossen werden". Als Petrus den Worten Jesu, der Menschensohn werde viel leiden, getötet werden und auferstehen, widerstrebt, da schilt ihn Jesus: „weiche hinter mich Satan, du denkst nicht, was Gott ansteht, sondern was den Menschen". Gewaltsam, mit der Peitsche, treibt Jesus die Händler aus dem Tempel. Es geht nicht an, aus Jesus eine duldende, weiche, liebende Gestalt zu machen, noch weniger einen nervösen, widerstandslosen Menschen.

Die eigentümliche Doppelheit von Sanftmut und kämpferischer Unbedingtheit ist in der Weise sichtbar, wie Jesus den Glauben fordert. Er kann sagen: „Mein Joch ist sanft und meine Last ist leicht" aber er kann fordern: sogleich, ohne Zögern und ganz ihm zu folgen. Den Jüngling, der erst noch seinen Vater begraben will, herrscht er an: Lasse die Toten ihre Toten begraben und folge mir nach. Zornig gegen die Schriftgelehrten, dankt er Gott, dass er die Wahrheit verborgen habe vor Weisen und Verständigen und sie den Unmündigen geoffenbart. Und die Ungläubigen trifft der Fluch mit den Jesaiasworten: Mit dem Gehör sollt ihr hören und nicht verstehen. Denn es ward das Herz dieses Volkes verstockt.

Wir möchten wohl wissen, wie Jesus ausgesehen hat. In der slavischen Josephusübersetzung fand Eisler eine Schilderung: Jesus hatte dunkle Hautfarbe, war von kleinem Wuchs, drei Ellen hoch, bucklig, mit langem Gesicht, zusammengewachsenen Brauen, mit wenigen nach Art der Nasiräer gescheiteltem schütterem Haar und geringem Bart. Sein Aussehen konnte schrecken, er wirkte durch eine unsichtbare Kraft, durch ein Wort und einen Befehl. – Obgleich die Schilderung alt ist, ist sie als historischer Bericht sehr zweifelhaft. Sie gehört zu den in der Antike üblichen physiognomischen Erfindungen, wie sie in grossem Stil ein Bild Homers hervorbrachte. Die Frage ist, wer die Erfindung gemacht habe, wozu und mit welcher Tendenz. Es ist die früheste der vielen Physiognomien Jesus. Wo solche Erfindung mit der Wirklichkeit coincidieren könnte, vermögen wir uns dem Eindruck kaum zu entziehen. Dahin gehören die Jesus – Bilder Rembrandts, die ihm aus Wahrnehmungen im Ghetto als Wesensanschauungen erwachsen, von wundersamer Tiefe, kraftvoll und mild, wissend und leidend. Sie zeigen ohne Grossartigkeit eine reine Seele.

Die Evangelien sind ein einziges Zeugnis von der ausserordentlichen persönlichen Wirkung Jesu. Wer mit ihm in Berührung kam, war bezaubert in Hingerissenheit oder Feindschaft. Seine Krankenheilungen (die Dämonenaustreibungen) sind nur ein beiläufiger Effekt „alle waren bestürzt und sagten: so haben wir noch nichts gesehen". Die begegnenden Pharisäer waren betroffen. Der römische Hauptmann ist ergriffen. Jesu Rede überwältigte, er sprach, „ wie einer, der Vollmacht hat und nicht wie die Schriftgelehrten".

(b) *Historische Aspekte.* – Jesus ist eine spätantike Erscheinung am Rande der hellenisch-römischen Welt. In einem Zeitalter heller Geschichte lebt er im Dunkel kaum bemerkt. In einer realistischen und rationalisierten Welt berechnender Macht kann er, garnicht berechnend, sich nicht einpassen. Er irrt sich in in bezug auf alle materiellen Realitäten und muss als Dasein scheitern.

Verglichen mit der archaischen jüdischen Prophetie, die ehern wirkt, ist er unerhört vertieft, vieldeutig und beweglich. Verglichen aber mit der ihm fremden hellenistisch-römischen Welt ist er ursprünglich, wie erster Anfang.

Man hat versucht, Jesus zu verstehen als den Fall einer der in seiner Zeit verbreiteten Typen religiös und politisch erregter Menschen und Gruppen. Man hat gesagt: er ist ein Vertreter der in Vorderasien allgemeinen apokalyptischen Bewegung; er steht den stillen, in Reinheit und Brüderlichkeit um das Heil besorgten Sekten, wie den Essenern nahe; er steht unter den Volksbewegungen, die im jüdischen Lande damals immer wieder den Messias, den König und Wiederhersteller des Judentums erwarteten; er gehört zu den Wanderpropheten, von denen Celsus berichtet, Leuten, die bettelnd, in Städten, Tempeln, Kriegslagern weissagen, sich für gottgesandt erklären, vorgeben, die andern zu retten, und sie verwünschen, wenn sie sie nicht ehren; man hat die Lebensart in der Wüste wandernder Handwerker in ihm wiedergefunden, die in völliger Armut heiter und sorglos unter den Beduinen lebten, unbeteiligt an ihren Kämpfen Zuschauer sind, die nachher die Verwundeteten beiderseits ärztlich versorgen, friedfertig, gewaltlos, nicht widerstehend sich mitten unter Kämpfenden erfolgreich durchbringen.

Mit allen diesen aufgezählten Typen mag Jesus ein wenig zusammen treffen. Deren Leben und Denkweise gibt Kategorien her, unter denen irgendwo auch Jesu Dasein sich vollzog. Aber wer dies wahrnimmt, für den bricht die Wirklichkeit Jesu durch sie alle hindurch als ein Ereignis aus anderm Sinn und Ursprung, von ganz anderem Rang, Weiten und Tiefen offenbarend, die diesen Typen fremd waren. Alle, die als Messias auftraten, sind hingerichtet und vergessen; weil sie gescheitert waren, waren sie nicht mehr glaubwürdig. Alle die religiös erregten Typen verloren sich in Besonderheiten und Äusserlichkeiten. Dass auf Jesus von so vielen, unter einander heterogenen Typen ein Licht fallen kann, zeigt, dass er zu keinem gehört.

Man hat, vielleicht mit Recht, gesagt, dass Jesus in allen lehrbaren Inhalten garnicht neu sei. Er lebt im Wissen seiner Umwelt. Er bedient sich der überlieferten Gedanken und Formeln. In ihm kommt der jüdische Gottesgedanke zu einer seiner Formen. Er hat nie daran gedacht, sich von diesem jüdischen Glauben zu trennen. Vielmehr steht er in ihm wie die alten Propheten, in Opposition zu priesterlichen Verfestigungen. Er ist historisch der letzte der jüdischen Propheten. Daher bezieht er sich ausdrücklich und oft auf sie.

Schon die Umwelt bedingt einen Unterschied zwischen den alten Propheten und Jesus. Jene lebten in einem noch selbständigen Staat der Juden und erlebten dessen Untergang. Jesus lebt in der politisch abhängigen seit Jahrhunderten stabilisierten jüdischen Theokratie. Er gehört in jene Zeit von fünfhundert Jahren zwischen der politischen Selbständigkeit und der endgültigen Diaspora nach der Zerstörung Jerusalems, jenen Jahrhunderten, in denen viele der frömmsten Psalmen, der Hiob, der Koheleth entstanden sind. Die jüdische Theokratie hat Jesus ausgestossen, wie früher das Tempelpriestertum der Königszeit es den Propheten gegenüber versuchte. Das Gesetzesjudentum der Diaspora, das mit dem Kanon die alten Propheten acceptierte, konnte Jesus nicht mehr acceptieren, denn er war inzwischen durch andere zum Mittelpunkt einer Weltreligion geworden.

Historisch ist der Gottesglaube Jesu eine der grossen Gestalten der biblischen jüdischen Religion. Der Gott Jesu, der Gott der Bibel, ist nicht mehr einer der orientalischen Götter, aus denen einst Jahwe stammte, der langsam das orientalisch grausame und opfersüchtige verlor in dem tiefen Opfergedanken der Propheten, die in Jesus ihr letztes Wort spracheu. Dieser Gott ist auch nicht eine der herrlichen mythischen Gestalten, die die Urmächte des Menschseins versinnlichen, dadurch steigern und führen, wie Athene, Apollo und all die anderen, sondern der Eine, Bildlose, Gestaltlose. Dieser Gott ist auch keine blosse universale Macht, nicht die Weltvernunft griechischer Philosophie, sondern wirkende Person. Er ist auch nicht das unergründliche Sein, mit dem der Mensch in Meditation zu mystischer Einigung kommt, sondern das schlechthin Andere, das geglaubt, aber nicht geschaut werden kann. Er ist die absolute Transcendenz, vor der Welt und ausser der Welt,

Schöpfer der Welt; im Verhältnis zur Welt und zum Menschen ist er Wille: „er gebietet, dann geschieht es; er befiehlt, dann steht es da." In seinem Ratschluss unbegreiflich, ist er Gegenstand absoluten Vertrauens und Gehorsams. Er ist der Richter, vor dem der Mensch offen liegt bis in seine verborgensten Gedanken, und vor dem er Rechenschaft abzulegen hat. Er ist der Vater, der liebt und vergiebt, vor dem der Mensch sich als Gottes Kind weiss. Gott ist eifersüchtig und hart und zugleich voll Gnade und Erbarmen. Er herrscht von fern her, unnahbar fremd; er ist ganz nah, spricht und fordert im Herzen. Er ist der lebendige Gott, der persönlich ergreift, nicht wie das spekulativ gedachte Eine Sein ungreifbar und stumm.

Es ist der Gott des alten Testaments, an den Jesus glaubt, es ist die alte prophetische Religion, die Jesus verwirklicht. Jesus ist wie Jeremias der reine, durch keine Bande der Gesetzlichkeit, der Riten, des Kultus mehr gefangene Jude, der doch all diese Formen nicht verwirft, sondern unter die Bedingung von Gottes gegenwärtigen Willen stellt. Jesus verwirklicht noch einmal den prophetischen Glauben, der durch die Jahrhunderte überliefert ihn trug und Menschen bis heute zu tragen vermag.

(c) *Die Wesensidee.* – Jesu Leben in Gott bestimmt alles, was er sagt und tut. Sein Wesen scheint wie durchleuchtet von der Gottheit. In jedem Augenblick Gott nahe, gilt ihm nichts als Gott und Gottes Wille. Der Gottesgedanke steht unter keiner Bedingung, aber die Maasstäbe, die von dort sprechen, stellen alles andere unter ihre Bedingung. Von dort her kommt das Wissen um das allbegründende Einfache.

Das Wesen dieses Glaubens ist die Freiheit. Denn in diesem Glauben, der von Gott spricht, wird die Seele weit im schlechthin Umgreifenden. Während sie Glück und Unglück dieser Welt sieht, erwacht sie zu sich selbst. Was nur endlich, was nur Welt ist, kann sie nicht gefangen halten. Aus der Hingabe in dem nicht mehr begreifenden Vertrauen erwächst ihr die unendliche Kraft: denn in der grössten Weichheit des unbefestigten Herzens, in der vernichtenden Erschütterung, kann ihr das Bewusstsein werden, sich von Gott geschenkt zu sein. Glaubt der Mensch, so wird er wirklich frei.

Solche Gottesgewissheit Jesu ermöglicht eine Haltung der Seele, die selber unbegreiflich ist. Der Mensch bleibt in der Welt, nimmt als Zeitdasein an ihr teil, erschüttert, aber in der Betroffenheit an einem tiefen nicht mehr welthaften Grunde unbetroffen. Er ist in der Welt über die Welt hinaus. In der Verlorenheit seines Daseins an die Welt ist er irgendwo, unbeweisbar, unfeststellbar, in der Aussage schon dies bezweifelnd, unabhängig von der Welt.

Diese Unabhängigkeit in der totalen Welteinsenkung bewirkt die wundersame Unbefangenheit. Einerseits können die weltlichen Dinge nicht mehr zu endlichen Absolutheiten, die weltlichen Gehäuse des Wissens nicht mehr zum Totalwissen, die Regeln und Gesetze nicht mehr zu Verfestigungen des Errechenbaren verführen. Die Lockungen scheitern an jener Freiheit aus der Gottesgewissheit. Andrerseits wird das Auge offen für alle Realitäten und besonders für die Seele der Menschen, die Tiefe ihres Herzens, die der Hellsicht Jesu nichts verbergen kann.

Wenn der Gottesgedanke, wie unfasslich auch immer, in die Seele gedrungen ist, dann ist jene Unruhe, Gott zu verlieren, und der unablässige Antrieb, das zu tun, was Gott nicht verschwinden lässt. Daher das Wort Jesu: Selig, die rein in Herzen sind, denn sie werden Gott schauen.

Aber nun geschah in Jesu etwas, was im alten Testament nur in Ansätzen da ist (etwa im Opfer Isaacs durch Abraham). Der Ernst des Gottesgedankens hat bei Jesus zur Folge die vollkommene Radikalität. Der Gott, der für Jesus doch nicht leibhaftig da ist, nicht in Visionen und nicht in Stimmen, vermag alles in der Welt in Frage zu stellen. Es wird vor seinen Richterstuhl gebracht. Wie Jesus das aus seiner Gottesgewissheit getan hat, ist erschreckend. Wer das bei den Synoptikern zu lesen vermag und dabei in ruhiger Verfassung bleibt, zufrieden mit seinem Dasein, eingesponnen in dessen Ordnung, der ist blind. Jesus ist aus allen realen Ordnungen der Welt herausgetreten. Er sieht, dass alle Ordnungen und Gewohnheiten pharisäisch wurden, er zeigt den Ursprung, von dem her ihre Einschmelzung erfolgt. Aller weltlichen Wirklichkeit wird endgültig, ohne Einschränkung, ihr Boden genommen. Schlechthin alle Ordnungen, die Bande der Pietät, der Satzungen der bernünftigen Sittengesetze brechen ein. Gegen den Anspruch, Gott zu folgen in das Gottesreich, sind alle anderen Aufgaben nichtig. Arbeit für den Unterhalt, Schwüre vor Gericht, Selbstbehauptung des Rechts, Eigentum, alles ist nichtig oder wird verworfen. Zu sterben durch die Mächte dieser Welt, in Leid, Verfolgung, Misshandlung, Entwürdigung zu Grunde zu gehen, ist das Gehörige für den, der glaubt. „Nirgends ist so revolutionär gesprochen worden, denn alles sonst Geltende ist als ein Gleichgültiges, nicht zu Achtendes gesetzt" (Hegel).

Weil Jesus im Äussersten der Welt steht, schlechthin die Ausnahme ist, wird die Chance alles dessen offenbar, was an den Maasstäben der Welt als verachtet, niedrig, krank, hässlich, als von den Ordnungen ausgestossen und auszuschliessen gilt, die Chance des Menschseins selbst unter allen Bedingungen. Er zeigt dorthin, wo dem Menschen in jeder Weise des Scheiterns das Zuhause offen ist.

Jesus ist durchgebrochen zu diesem Ort, von dem her nicht nur alles, was Welt ist, in den Schatten tritt, sondern der selber nichts als – im Gleichnis – Licht und Feuer, als Liebe und Gott ist. Dieser Ort, wie ein Ort in der Welt gefasst, ist in der Tat kein Ort. Jeder muss ihn an seinen Masstäben des Gehörigen in der Welt missverstehen. Von der Welt her gesehen, ist er Ausnahme und unmöglich.

Wenn aber, was hier Ursprung, Mitte, Bindung ist, sich in

der Welt durch Jesus und sein Wort zeigt, so kann das nur indirekt geschehen. Es geschieht so, dass noch der Wahnsinn in der Welt zu befragen ist nach seiner möglichen Wahrheit. Es geschieht so, dass Erscheinung und Wort am Masse rationaler Wissbarkeit absolut widersprüchlich erscheinen. In Jesus liegt der Kampf, die Härte, die erbarmungslose Alternative und die unendliche Milde, Kampflosigkeit, Liebe, das Erbarmen mit aller Verlorenheit. Er ist der herausfordernde Kämpfer und der schweigende Dulder.

Die Radikalität der Gottesgewissheit gewann durch Jesus eine bis dahin unerhörte Steigerung durch die Erwartung des unmittelbar bevorstehenden Weltendes. Die Naherwartung war im Sinne des kosmischen Wissens ein Irrtum. Wenn aber die Wirklichkeit des Weltuntergangs ausbleibt, ist der Sinn des Grundgedankens nicht aufgehoben. Ob jetzt gleich oder nach sehr langen Zeiten: dies Ende wirft Licht und Schatten, stellt an alles und jedes seine Frage, ruft auf zur Entscheidung. Der Irrtum in bezug auf das leibhaftig Gegenwärtige des Weltendes hat durch den Zwang dieser Leibhaftigkeit die Wahrheit an den Tag gebracht, dass der Mensch in der Tat vor dem Äussersten lebt, das er sich ständig verschleiert. Die Welt ist nicht das erste und letzte, der Mensch ist dem Tode verfallen, die Menschheit selber wird nicht endlos dauern. In dieser Situation ist das Entweder – Oder: für Gott oder gegen Gott, gut oder böse. Jesus erinnert an das Äusserste.

Zur Wesensidee Jesu gehört das Leiden, das schrecklichste, uneingeschränkte, grenzenlose Leiden, das im grausamsten Tod vollendet wird. Jesu Leidenserfahrung ist die jüdische Leidenserfahrung. Jesu Wort am Kreuz: „Mein Gott, mein Gott, warum hast du mich verlassen“ der Anfang des 22. Psalms spricht mit diesem Psalm das äusserste Leiden aus, nicht das Hinnehmen des Leidens in Geduld, sondern im Aufschrei zu Gott, aber auch des Vertrauens im Leiden allein auf Gott, auf das, was vor aller und nach aller Welt ist.

In jenem Psalm spricht ein Mensch in höchster Bedrängnis: Ein Wurm bin ich, kein Mensch, verachtet, Gespött der Leute. Die Bösen umkreisen ihn. Sie sperren ihren Rachen wider ihn auf wie ein Löwe. „Wie Wasser bin ich hingegossen, alle meine Gebeine sind auseinander gegangen, mein Herz ist wie zu Wachs geworden, mein Gaumen ist ausgetrocknet". Er wendet sich an Gott, denn „es gibt keinen Helfer". Aber: „Mein Gott, rufe ich tagsüber, doch du antwortest nicht." In dieser Stummheit und Stille, diesem Verlassensein in der Hilflosigkeit, erfolgt der Umschlag: „Und du bist doch der Heilige, auf dich vertrauten unsere Väter." Er hat die Elenden, die zu ihm schrieen, gohört. Auch dieser Dichter des Psalms wird gewiss: „Jahwe ist mein Hirte, mir wird nichts mangeln, auch wenn ich in dunklem Tal wandern muss, fürchte ich kein Unglück, denn du bist bei mir."

Das Wesentliche dieser Weise des Leidens und der Geburt der Gottesgewissheit aus dem grenzenlosesten Leidensbewusstsein ist zunächst: das restlose Sichaussetzen dem Leiden, der Mensch ein Wurm, nicht in der Behauptung seiner Würde und Unerschütterlichkeit, – dann des Bewusstseins des absoluten Alleinseins, vom Volke verlassen, nicht geborgen in einem nationalen oder anderen collektiven Gedanken, – schliesslich das Bewusstsein der Gottverlassenheit. Es ist nicht möglich, das Leiden des Menschen weiter treiben zu lassen. Aus diesem äussersten Leid, und erst aus ihm folgt der Umschlag: der Aufschrei zu Gott ist möglich, das Sagen der Unerträglichkeit seines Stummseins, dann der Anruf: du bist doch der Heilige, und schliesslich statt des Volkes wenigstens die Väter: sie vertrauten ihm, und am Ende die Ruhe des Vertrauens zum unantastbaren Grund.

Diese Leidensfähigkeit und Leidenswahrhaftigkeit ist geschichtlich einzig. Das Schreckliche ist nicht gelassen hingenommen, nicht geduldig ertragen, nicht verschleiert. Auf der Wirklichkeit des Leidens wird bestanden, es wird ausgesprochen. Es wird erlitten bis zur Vernichtung, in welcher aus der Verlorenheit und Verlassenheit dieses Etwas gesehen, dieses Minimum des Bodens gespürt wird, das dann alles ist, die Gottheit. In der Stummheit, der Unsichtbarkeit, der Bildlosigkeit ist sie doch die einzige Wirklichkeit. Mit dem ganzen rückhaltlosen Realismus der unverdeckten Schrecken dieses Daseins ist verbunden der Halt an dem ganz Unfasslichen.

Am Masstab eines heroischen und eines stoischen Ethos liegt in der Weise dieses zunächst haltlosen Preisgegebenseins, seines Aussprechens und in dem dann wie ein Wunder sich fühlbar machenden Halt keine Würde, vielmehr eine Schamlosigkeit. Aber jenes andere Ethos der Würde versagt entweder in der äussersten Realität oder versinkt in unbetroffener Starre. Dieses dagegen in seiner Wahrhaftigkeit ist dem Menschen bis in letzte vernichtende Erfahrungen möglich.

Jesus ist ein Gipfel dieses Leidenkönnens. Man muss jüdisches Wesen sehen in den Jahrhunderten, um Jesus Wesen zu erblicken. Aber Jesus hat nicht passiv erlitten. Er hat gehandelt, Leid und Tod provociert. Sein Leid ist nicht zufälliges, sondern echtes Scheitern. Er setzt seine Unbedingtheit der Welt aus, die nur Bedingtheit zulässt, der Weltlichkeit der Kirche (damals in Gestalt der für die folgenden Kirchen prägend wirkenden jüdischen Theokratie). Seine Wirklichkeit ist das Symbol des Wagens von allem, der Erfüllung der Gottessendung: die Wahrheit zu sagen und wahr zu sein. Das ist der Mut der jüdischen Propheten: nicht im Spiegel des Ruhms grosser Taten, des Ruhms tapferen Todes für die Nachwelt, sondern allein vor Gott. Im Kreuz wird die Grundwirklichkeit des Ewigen in der Zeit angeschaut. Jesu Tod ist Symbol geworden für die jederzeit gegenwärtige Wirklichkeit. In dieser vorgebildeten Gestalt, im Kreuz, geschieht die Vergewisserung des Eigentlichen im Scheitern alles dessen, was Welt ist.

Die jüdische Leidenserfahrung ist ein Moment der alttestamentlichen biblischen Religion und diese ist der Kern aller christlichen, jüdischen, islamischen Religionen in der Fülle ihrer historischen Kleider, ihrer Verkehrungen und Abgleitungen, so dass keine sagen kann, sie sei im Besitz der wahren biblischen Religion, die doch alles trägt. Von dieser biblischen Religion ist ohne gefährlichen Anspruch nicht geradezu zu reden. Vielleicht aber darf man sagen; Nicht Christus, diese Schöpfung der Urgemeinde und des Paulus, ist der biblischen Religion gemeinsam, so wenig wie das jüdische Gesetz wie der nationale Charakter der jüdischen und vieler protestantischer Religionen. Gemeinsam ist der Gottesgedanke und das Kreuz. In Jesus ist die letzte Gestalt der jüdischen Idee des leidenden Gottesknechts wirksam.

ZWEI DURCH HUMANISTEN BESORGTE, DEM PAPST GEWIDMETE AUSGABEN DER HEBRÄISCHEN BIBEL

VON PAUL KAHLE

FRÜHE Drucke der hebräischen Bibel und ihrer Teile, die im Jahre 1477 zu erscheinen begannen und von denen Lazarus Goldschmidt[1] für die nächsten 40 Jahre nicht weniger als 39 aufzuzählen vermag, sind vom typographischen Gesichtspunkt aus von hohem Interesse. Bei ihrem Studium können wir im einzelnen beobachten, welche Fortschritte bei diesen Drucken im Laufe der Jahre gemacht worden sind. Aber es handelt sich bei ihnen nicht um *Ausgaben*, sondern lediglich um *Abdrucke* der einen oder andern Handschrift der hebräischen Bibel. Ginsburg hat in seiner grösseren Bibelausgabe (London 1908–26) nicht weniger als 19 Frühdrucke verglichen, also fast die Hälfte der tatsächlich bekannten, und wenn diese Vergleichung auch nicht gerade sehr zuverlässig ist und gerade bei den hier zu besprechenden Ausgaben ganz versagt, so können wir doch feststellen, dass die Abweichungen der Bibeldrucke von einander geringfügig sind. Die Handschriften, die als Vorlagen für diese Drucke gedient haben, boten im wesentlichen den Textus receptus der Bibel, wie er sich im 14. und 15. Jahrhundert festgesetzt hatte. Handschriften der Art gibt es auch heute noch in grosser Zahl und deshalb sind die Wiedergaben dieser späten Handschriften, die in den Frühdrucken vorliegen, für das Gebiet der Textkritik von sehr geringer Bedeutung.

Auch der Bibeltext, den Jacob b. Chaijim in der zweiten bei Daniel Bomberg 1524–5 erschienenen Rabbinerbibel veröffent-

[1] Lazarus Goldschmidt, *The Earliest Editions of the Hebrew Bible*. . . Aldus Book Company, New York 1950, p. 38.

ꝛ gad altare: ꝛ dixerũt ꝙ teſtimoniũ eſt in
καὶ τῷ γὰδ τὸν βωμόν, καὶ εἶπαν ὅτι μαρτύριόν ἐστιν ἀναμέ
ter eos: qm̃ dñs ipſe deus eoꝝ eſt.
σον αὐτῶν, ὅτι κύριος αὐτὸς ὁ θεὸς αὐτῶν ἐστίν. Ca. 23.

A

Et factũ ẽ poſt dies plures poſtꝗ̃ requieſce
Καὶ ἐγένετο μεθ' ἡμέρας πλείους μετὰ τὸ καταπαῦ
re fecit dñs deus iſrael ab oĩbus inimicis eius
σαι κύριον τὸν θεὸν ἰσραὴλ ἀπὸ πάντων τῶν ἐχθρῶν αὐτ
in circuitu. ꝛ ioſue ſenioꝛ prouectus die
κυκλόθεν. καὶ ἰησοῦς πρεσβύτερος προβεβηκὼς ταῖς ἡμέ
bus: ꝛ conuocauit ioſue oẽs filios iſrael ꝛ
ραις, καὶ συνεκάλεσεν ἰησοῦς πάντας υἱοὺς ἰσραὴλ καὶ τὴν
ſenatũ eoꝝ ꝛ principes eoꝝ ꝛ iu
γερουσίαν αὐτῶν καὶ τοὺς ἄρχοντας αὐτῶν καὶ τοὺς δι=
dices eoꝝ ꝛ magiſtros eoꝝ: ꝛ dixit ad
καστὰς αὐτῶν καὶ τοὺς γραμματεῖς αὐτῶν, καὶ εἶπεν πρὸς
eos: ego ſenui ꝛ ꝑgreſſioꝛis etatis ſũ diebus: vos
αὐτούς, ἐγὼ γεγήρακα καὶ προβέβηκα ταῖς ἡμέραις, ὑμεῖς
aũt vidiſtis oĩa que fecit dñs deus nr̃
δὲ ἑωράκατε σύμπαντα ὅσα ἐποίησεν κύριος ὁ θεὸς ἡμῶν
oĩbus gentibus his a facie vr̃a: qm̃ do
πᾶσιν τοῖς ἔθνεσιν τούτοις ἀπὸ προσώπου ὑμῶν, ὅτι κύ
mĩn⁹ deus nr̃ ipſe ꝗ pugnabat ꝓ vobis: videte quod di=
ριος ὁ θεὸς ἡμῶν αὐτὸς ὁ ἐκπολεμήσας ὑμῖν, ἴδετε ὅπερ ἔ
xi: proieci vobis gẽtes relictas vobis has
ῥιψα, ἐπέρριψα ὑμῖν ἔθνη τὰ καταλελειμμένα ὑμῖν ταῦτα
in ſortibus in tribus vr̃as a iordane: om
ἐν τοῖς κλήροις εἰς τὰς φυλὰς ὑμῶν ἀπὸ τοῦ ἰορδάνου, πάν
nes gẽtes deleui. ꝛ a mari ma
τα τὰ ἔθνη ἐξωλόθρευσα· καὶ ἀπὸ τῆς θαλάσσης τῆς μεγά
gno termiabit ad occidẽtẽ ſolis. dñs aũt deus vr̃ hic
λης ὁριεῖ ἐπὶ δυσμὰς ἡλίου· κύριος δὲ ὁ θεὸς ὑμῶν οὗτος
diſperdet eos a facie vr̃a: ꝛ dele
ἐξολοθρεύσει αὐτοὺς ἀπὸ προσώπου ὑμῶν, καὶ ἐξολοθρεύ=
bit eos a facie tua: ꝛ poſſidebitis
σει αὐτοὺς ἀπὸ προσώπου σου, καὶ κατακληρονομήσετε

B

terrã eoꝝ: ſicut locutus eſt dñs deus vr̃ vobis. cõ=
τὴν γῆν αὐτῶν, καθὰ ἐλάλησεν κύριος ὁ θεὸς ὑμῶν ὑμῖν. κα
fortamini igitur valde ...

gad altare qđ extruxe rãt: teſtimoniũ nr̃m ꝙ dñs ipe ſit deus. 23.

Voluto aũt multo tempore poſtꝗ̃ pacem dederat dominus iſraeli ſubiectis in gyro natioĩbus vniuerſis & ioſue iã lõgeuo & ꝑ ſenilis etatis: vocauit ioſue oẽm iſraelẽ: maioreſꝗ natu & pricipes ac iudices ac magiſtros dixitꝗ ad eos. Ego ſenui & ꝓgreſſioris etatis ſũ: voſꝗ cernitis omnia q̃ fecerit dominus deus vr̃ cũctis ꝑ circuitũ natioĩb⁹: quo ꝓ vobis ipſe pugnauerit. Et nũc quia vobis ſorte diuiſi omnem terram: ab oriẽtali parte iordanis vſꝗ ad mare magnũ: multeꝗ adhuc ſupſũt natiões: dñs deus veſter diſperdet eas & auferet a facie vr̃a & poſſidebitis terrã ſicut vobis pollicitus eſt. Tantum cõfortami & eſtote ſolliciti vt cuſtodiatis ...

גָד לַמִּזְבֵּחַ כִּי עֵד הוּא בֵּינֹתֵינוּ כִּי
יְהוָה הָאֱלֹהִים׃ וַיְהִי מִיָּמִים
רַבִּים אַחֲרֵי אֲשֶׁר הֵנִיחַ יְהוָה
לְיִשְׂרָאֵל מִכָּל אֹיְבֵיהֶם מִסָּבִיב
וִיהוֹשֻׁעַ זָקֵן בָּא בַּיָּמִים׃ וַיִּקְרָא
יְהוֹשֻׁעַ לְכָל יִשְׂרָאֵל לִזְקֵנָיו וּלְרָאשָׁיו
וּלְשֹׁפְטָיו וּלְשֹׁטְרָיו וַיֹּאמֶר אֲלֵיהֶם
אֲנִי זָקַנְתִּי בָּאתִי בַּיָּמִים׃ וְאַתֶּם
רְאִיתֶם אֵת כָּל אֲשֶׁר עָשָׂה יְהוָה
אֱלֹהֵיכֶם לְכָל הַגּוֹיִם הָאֵלֶּה מִפְּנֵיכֶם
כִּי יְהוָה אֱלֹהֵיכֶם הוּא הַנִּלְחָם לָכֶם׃
רְאוּ הִפַּלְתִּי לָכֶם אֶת הַגּוֹיִם
הַנִּשְׁאָרִים הָאֵלֶּה בְּנַחֲלָה לְשִׁבְטֵיכֶם
מִן הַיַּרְדֵּן וְכָל הַגּוֹיִם אֲשֶׁר הִכְרַתִּי
וְהַיָּם הַגָּדוֹל מְבוֹא הַשָּׁמֶשׁ׃ וַיהוָה
אֱלֹהֵיכֶם הוּא יֶהְדֳּפֵם מִפְּנֵיכֶם
וְהוֹרִישׁ אֹתָם מִלִּפְנֵיכֶם וִירִשְׁתֶּם
אֶת אַרְצָם כַּאֲשֶׁר דִּבֶּר יְהוָה
אֱלֹהֵיכֶם לָכֶם׃ וַחֲזַקְתֶּם מְאֹד לִשְׁמֹר

זָבַח עוּד
Cap. xxiij
הָיָה יוֹם
רָבַב נוּחַ
סָבַב
בּוֹא יוֹם
בּוֹא
רָאָה
פָּנָה
לָחַם
רָאָה נָפַל
שָׁאַר
כָּרַת
בּוֹא
הָדַף
יָרַשׁ אֵת

τίχυσατε οὖν σφόδρα φυλάσσειν καὶ ποιεῖν πάντα τὰ
que scripta sunt in volumine legis moysi: vt nō de=
τὰ γεγραμμένα ἐν τῷ βιβλίῳ τοῦ νόμου μωυσῆ, ἵνα μὴ ἐκ=
clinetis ab eo in dexterā vel in sinistrā: vt nō ingre
κλίνητε ἀπ᾽ αὐτοῦ εἰς δεξιὰ ἢ εἰς εὐώνυμα, ὅπως μὴ εἰσέλ
diamini in gētes relictas has vobiscū: ꝛ
θητε εἰς τὰ ἔθνη τὰ καταλελειμμένα ταῦτα μεθ᾽ ὑμῶν, καὶ
noīa deoꝝ ipsoꝝ nō nominabūtur in vobi.
τὰ ὀνόματα τῶν θεῶν αὐτῶν οὐκ ὀνομασθήσεται ἐν ὑμῖν.
ꝛ nō iuretis neqȝ seruiatis: neqȝ adore
καὶ οὐκ ὀμεῖσθε οὐδὲ μὴ λατρεύσητε, οὐδὲ μὴ προσκυνή
tis illos: sed dño deo vſo adhe=
σητε αὐτούς, ἀλλὰ κυρίῳ τῷ θεῷ ὑμῶν προσκολ=
rebitis: sicut fecistis vſqȝ ad diē hāc.
ληθήσεσθε, καθάπερ ἐποιήσατε ἕως τῆς ἡμέρας ταύ
ꝛ delebit eos dñs a facie
της. καὶ ἐξολοθρεύσει αὐτοὺς κύριος ἀπὸ προσώπου
nſa gentes magnas ꝛ fortes: ꝛ vobis nullus restitit
ἡμῶν ἔθνη μεγάλα καὶ ἰσχυρά, καὶ ὑμῖν οὐδεὶς ἀντέστη
coram vobis vſqȝ ad diem hāc: vir vnus
κατενώπιον ὑμῶν ἕως τῆς ἡμέρας ταύτης, ἀνὴρ εἷς
vſm̄ psecut9 est mille: qm̄ dñs deus nr̄ ipse pro
ὑμῶν ἐδίωξεν χιλίους, ὅτι κύριος ὁ θεὸς ἡμῶν αὐτὸς ἐξε
pugnabat ꝓ vobis: sicut dixit vobis. ꝛ cauebitis
πολέμει ὑμῖν, καθάπερ εἶπεν ὑμῖν. καὶ φυλάξε=
valde aīabus vſis vt diligatis dñm
σθε σφόδρα ταῖς ψυχαῖς ὑμῶν τοῦ ἀγαπᾶν κύριον τὸν
deū vſm̄. si eīn auersi fueritis ꝛ cōsenseritis
θεὸν ὑμῶν. ἐὰν γὰρ ἀποστραφῆτε καὶ προσθῆτε τοῖς
relictis gētibus his vobiscū ꝛ cōnu
ὑπολειφθεῖσιν ἔθνεσιν τούτοις μεθ᾽ ὑμῶν καὶ ἐπιγα=
bia feceritis
μίας ποιήσητε

C

volumine legis
moysi: & nō declinetis
ab eis neqȝ ad dexterā
neqȝ ad sinistrā: ne post
qȝ intraueritis ad gētes
q̄ iter vos future sūt: iu
retis in noīe deorū earū
& seruiatis eis
& adoretis illos: sed
adhereatis domino
deo vestro: quod feci=
stis vſqȝ in
diē hāc. Et tūc auferet
dñs deus ī cōspectu vr̄o
gētes magnas & robu
stissimas: & nullus vo=
bis resistere poterit.
Vnus e vobis psequē=
tur hostium mille viros:
quia dñs deus vr̄ ꝓ vo
bis ipē pugnabit sicut
pollicit9 ē: hoc tantū di
ligētissime precauete
vt diligatis dominum
deum vestrum. Quod
si volueritis
gentium harum
q̄ inter vos habitāt er
rorib9 adherere &

משֶׁה לְבִלְתִּי סוּר מִמֶּנּוּ יָמִין וּשְׂמֹאול׃
לְבִלְתִּי בֹא בַּגּוֹיִם הָאֵלֶּה הַנִּשְׁאָרִים
הָאֵלֶּה אִתְּכֶם וּבְשֵׁם אֱלֹהֵיהֶם לֹא
תַזְכִּירוּ וְלֹא תַשְׁבִּיעוּ וְלֹא תַעַבְדוּם
וְלֹא תִשְׁתַּחֲווּ לָהֶם׃ כִּי אִם בַּיהוָה
אֱלֹהֵיכֶם תִּדְבָּקוּ כַּאֲשֶׁר עֲשִׂיתֶם עַד
הַיּוֹם הַזֶּה׃ וַיּוֹרֶשׁ יְהוָה מִפְּנֵיכֶם גּוֹיִם
גְּדֹלִים וַעֲצוּמִים וְאַתֶּם לֹא עָמַד
אִישׁ בִּפְנֵיכֶם עַד הַיּוֹם הַזֶּה׃ אִישׁ
אֶחָד מִכֶּם יִרְדָּף אָלֶף כִּי יְהוָה
אֱלֹהֵיכֶם הוּא הַנִּלְחָם לָכֶם כַּאֲשֶׁר
דִּבֶּר לָכֶם׃ וְנִשְׁמַרְתֶּם מְאֹד
לְנַפְשֹׁתֵיכֶם לְאַהֲבָה אֶת יְהוָה
אֱלֹהֵיכֶם׃ כִּי אִם שׁוֹב תָּשׁוּבוּ
וּדְבַקְתֶּם בְּיֶתֶר הַגּוֹיִם הָאֵלֶּה
הַנִּשְׁאָרִים הָאֵלֶּה אִתְּכֶם וְהִתְחַתַּנְתֶּם

רָבָה יָמַן
שָׂמַל בּוֹא
שָׁאַר
זָכַר שָׁבַע
עָבַד שָׁחָה
דָּבַק
יָרַשׁ פָּנָה
עָצַם
רָדַף
לָחַם
שָׁמַר
שׁוּב
חָתַן

licht hat, und der Jahrhunderte lang als der massgebende Bibeltext gegolten hat, ist im wesentlichen nichts anders als eine sorgfältig hergestellte Form des Textus receptus. Darin beruht ihr Wert. Jacob b. Chaijim hat nun freilich versucht, diesem Texte einen besondern Glanz zu verleihen, indem er auf seinen Rändern die Angaben der Masora beisetzte. An dieser Masora war ihm viel gelegen und er ist stolz auf die vollbrachte Leistung. Aber das masoretische Material, das die Handschriften boten, die er mit den von Daniel Bomberg zur Verfügung gestellten Mitteln hatte zusammenbringen können, war mehr als dürftig. Auf die sich darin findenden masoretischen Noten habe das Bibelwort Ex 12.30 zugetroffen: Da war kein Haus in dem nicht ein Toter gewesen wäre. Jacob rühmt sich, seit langer Zeit der erste gewesen zu sein, der sich wieder in das masoretische Material eingearbeitet hat. Er ist stolz darauf, dass es ihm gelungen ist, die unvollständigen Angaben seiner Vorlagen zu ergänzen, die fehlerhaften zu verbessern, und ist davon überzeugt, damit zuverlässiges Material für eine korrekte Gestaltung des Bibeltextes gewonnen zu haben.

In Wirklichkeit ist aber die Entwicklung den umgekehrten Weg gegangen. Der masoretische Textus receptus hat festgestanden lange ehe Jacob b. Chaijim den Versuch machte, aus mangelhaftem und disparatem Material eine korrekte Masora zu kompilieren, und korrekt ist diese Masora erst dadurch geworden, dass sie dem masoretischen Textus receptus angeglichen worden ist, dass sie also mit dem Text in Übereinstimmung gebracht wurde, den sie stützen sollte.

Die Masora hat einmal eine wirkliche Bedeutung gehabt zu der Zeit, da man sich daran machte den Text zu schaffen, den wir jetzt in unserer Bibel vor uns haben. Bis vor kurzem war es unmöglich, einen Einblick in das Werden dieses Textes zu gewinnen, da alles Material, was diesem Texte vorhergegangen ist, restlos beseitigt worden war. Erst die aus der Cairoer Geniza bekannt gewordenen Fragmente haben das ermöglicht. Die

Arbeit am Bibeltext ist in Babylonien und in Palästina im wesentlichen im Laufe des 9. Jahrhundert geleistet worden. Die Anfänge liegen etwas weiter zurück, und die Arbeit hat erst im Laufe des 10. Jahrhunderts einen gewissen Abschluss erfahren, als die grossen Masoreten von Tiberias ihren Bibeltext feststellten und zur Geltung brachten. Zuvor waren die Textformen nach Ländern und Schulen verschieden gewesen, und die Masora hatte die Aufgabe die Form des Textes zu stützen, an dessen Rande sie stand. Aber auch die masoretischen Noten, die dem in Tiberias immer mehr zur Geltung kommenden Texte beigegeben waren, zeichneten sich durch grosse Exaktheit aus. Je mehr sich dieser tiberische Text durchsetzte, je mehr er sich zu dem im 14./15. Jahrhundert verbreiteten Textus receptus umbildete, desto überflüssiger wurden die masoretischen Noten an seinen Rändern. Die Schreiber begannen Spielerei mit diesen Noten zu treiben und sie zu einer Art Verzierung der Bibelhandschriften zu verwenden, die oft seltsame Ausgestaltungen annahmen. Die masoretischen Noten kamen immer mehr in den Zustand, den uns Jacob b. Chaijim auf grund der ihm zur Verfügung stehenden Handschriften schildert. Er hat die mangelhaften Noten ergänzt und in Ordnung gebracht, bis sie zu dem damals verbreiteten Textus receptus stimmten. Es mag sein, dass er sich einbildete, dass eine aus derartigem Material kompilierte Masora als Stütze für den von ihm abgedruckten Text dienen könnte. Er hat es jedenfalls so dargelegt, und bis in die neuste Zeit hat man ihm das geglaubt.

Nun gibt es aus dem Anfange des 16. Jahrhunderts zwei Drucke der hebräischen Bibel, die von den bisher besprochenen in sofern abweichen, dass ihre Bearbeiter sich bemüht haben, wirkliche *Ausgaben* des Bibeltextes zu schaffen, indem sie danach strebten, mit Hilfe von alten zuverlässigen Handschriften einen kritischen Bibeltext berzustellen. Sie haben auf den hebräischen Bibeltext die Methoden angewandt, nach denen man damals Texte des klassischen Altertums herauszugeben pflegte.

Die beiden Ausgaben sind bearbeitet worden durch jüdische Gelehrte, die nach ihrem Übertritt zum Christentum ihre jüdische Bildung durch gründliche Studien an den humanistischen Bildungsanstalten der damaligen Zeit ergänzt haben und die nun danach strebten, ihre neu gewonnenen Erkenntnisse ihren Bibelausgaben zu gute kommen zu lassen. Beide Ausgaben sind dem Papste Leo X. gewidmet, einem Sohne von Lorenzo Medici, der für derartige Bestrebungen ein lebhaftes Interesse gehabt hat. Es handelt sich einmal um den Text, den Felix Pratensis für die Erste von Daniel Bomberg herausgegebene Rabbinerbibel bearbeitet hat, andererseits um den Text, der in der Complutensischen Polyglotte abgedruckt ist.

Felix Pratensis muss bald nach dem Tode seines Vaters, der ein gelehrter Rabbiner gewesen sein soll, etwa um das Jahr 1506 zum Christentum übergetreten sein. Er trat in den Orden der Augustiner Eremiten in Prato bei Florenz ein – daher sein Name – und hat da offenbar sehr gründlich klassische Sprachen studiert. Als *trium linguarum scientia ac solida eruditione ornatus* wird er beschrieben. Als Lehrer der Theologie in seinem Orden muss er hervorragend tüchtig gewesen sein: *adeo in hac scientia profecit ut inter omnes Doctores Theologos similem suo tempore habuerit neminem.* Seine aus dem hebräischen Grundtext angefertigte lateinische Übersetzung der Psalmen, die als grosse Leistung angesehn wurde und viele Auflagen erlebt hat, ist, als sie im Jahre 1515 zum ersten Male erschien, vom Papste selber approbiert worden, und zwar mit den folgenden Worten:

Leo Papa Decimus

Universis et singulis ad quos he nostre littere pervenerint, salutem et apostolicam benedictionem. Cum dilectus filius Felix Pratensis Ordinis Eremitarum S. Augustini professor ad publicam omnium, praesertim qui sacrarum literarum studiosi sunt, utilitatem quanto maximo potuit labore et diligentia Psalterium ex Hebraeo in Latinum a se traductum dilecto Danieli Bombergo Flamingo nuncupato sive eius opera et impensis formis excudendum publicandum tradiderit, idcirco nos cupientes rationibus eiusdem Felicis ita consulere, ut non solum ipsius studium in traductionibus hujusmodi non refrigescat, sed in dies magis atque magis accendatur et preteria aliquem tam honestorum laborum fructum percipiat, universis et singulis nostras et S. Ro[manae] E[cclesiae] terras et loca sub excommunicationis [poena], ipsis vero terris et locis nostris degentibus sub premissa [poena] atque omissionis librorum penis inhibemus, ne psalterium predictum eo scilicet modo et forma qua ab ipso Felice traductum et editum sive edendum est per decennium a data presentium computandum ullo pacto formis excudere aut excussum sive excudendum ab aliis venundare emere ve presumant. Contrariis non obstantibus quibuscumque. Datum Viterbii sub annulo piscatoris die X octobris M D X V Pontificati nostri anno tertio

P. Bembus

Die Erstausgabe ist gedruckt worden in Venedig auf Kosten von Daniel Bomberg, einem gebildeten und wohlhabenden Kaufmann aus Antwerpen, der sich in Venedig niedergelassen hatte. Felix hatte ihm einigen Unterricht in der hebräischen Sprache gegeben und ihn im allgemeinen für hebräische Dinge interessiert und ihm den Vorschlag gemacht, eine grosse hebräische Druckerei zu begründen, und Bomberg war auf diesen Vorschlag eingegangen. Nachdem das Privileg dazu vom Senat der Stadt Venedig in Jahre 1515 bewilligt war, ist die von Felix vorbereitete Rabbinerbibel eins der ersten Werke gewesen, die dort hergestellt worden sind. Diese berühmte Drukkerei, in der während der nächsten Jahrzehnte die wichtigsten hebräischen Texte gedruckt worden sind, verdankt ihre Entstehung den Anregungen des Felix Pratensis.

Schon diese Tatsache spricht dafür, dass Felix nicht nur ein Gelehrter von Rang, sondern auch eine bedeutende Persönlichkeit gewesen sein muss. Das beweist auch das hohe Ansehn, das er in seinem Orden genossen hat. Als nach dem Tode von Leo X. Verhandlungen über Angelegenheiten des Ordens mit dem neuernannten Papst Hadrian VI., dem bisherigen Erzbischof von Tortosa, erforderlich wurden, war es Felix Pratensis, der vom Ordensgeneral, Gabriel Venetus, im Jahre 1522 zur Führung dieser Verhandlungen nach Spanien entsandt wurde. Wir erfahren weiter, dass er in den Jahren 1526 und 1528 der Prokurator seines Ordens gewesen ist, d.h. der stellvertretende Ordensgeneral, dass er also in diesen beiden Jahren die zweithöchste Stellung in seinem Orden innegehabt hat. Felix hat dann noch eine Reihe von Jahren in aller Zurückgezogenheit gelebt und ist nach 1550, im Alter von fast hundert Jahren, gestorben.[1]

Über die Gesichtspunkte, die ihn bei seiner Arbeit an der grossen Bibelausgabe geleitet haben, hat er in der lateinischen Widmung an Papst Leo X gehandelt, die er auf der Rückseite des Titels seiner Ausgabe abgedruckt hat und die typisch ist für den Menschen sowohl wie für den Gelehrten. Ich gebe sie hier in deutscher Übersetzung:

Seinem besten und heiligsten Herrn, dem Papst Leo, der Bruder Felix Pratensis, der geringste der Familie der [Augustiner-] Eremiten.

Wenn jemand, o glückseliger Vater, als billiger Beurteiler der Verhältnisse, diese unsere Zeiten sich überlegt, so wird er nicht in Abrede stellen können, dass wir das meiste dem allmächtigen Gott verdanken. Denn dass wir fast alle schon seit vielen Jahren unter den grausamsten Kriegen und den grössten Unfällen zu leiden haben, das würde er mit Recht der Schuld der Menschen und den verderblichen Leidenschaften der Fürsten zuschreiben. Dass aber alle schönen Künste und Wissenschaften zu dem höchsten Gipfel emporgestiegen und jetzt so auf der Höhe sind, dass die Menschen unserer Zeit mit jenen früherer Jahrhunderte zu wetteifern und jene weniger zu bewundern scheinen, das könnte man gewiss mit vollem Rechte der Gnade des höchsten Gottes zuschreiben.

Wer nämlich – um das übrige zu übergehn, – weiss nicht, dass die lateinische Sprache seit dem Niedergang des Römischen Reiches niemals

[1] Vgl. meine Arbeit: „Felix Pratensis – à Prato Felix. Der Bearbeiter der ersten Rabbinerbibel, Venedig 1516–7, in: *Die Welt des Orients*, No. 1, 1947, S.32–36, sowie meine Ausführungen im Anhang zu Lazarus Goldschmidt, *The Earliest Editions of the Hebrew Bible*, New York 1950, p. 41–5. Im übrigen sei verwiesen auf Chr. D. Ginsburg, *Introduction to the Massoretico-Critical Edition of the Hebrew Bible*, London 1897, p. 925–48.

grössere Förderung erfahren hat als die, welche sie in diesen unsern Zeiten empfangen hat? Wer sieht nicht, dass die griechischen Studien, die in so vielen vergangenen Jahrhunderten niemandem – oder doch nur wenigen bekannt gewesen sind, jetzt derart in Blüte stehn, dass sie mit der römischen Beredsamkeit allmählich ihren Glanz und Schmuck wieder annehmen?

Dass ich selber indessen diese Dinge weniger hervorhebe und weniger bewundere, das bezeugt leicht das vorliegende Buch, das man mit griechischem Namen *Biblia* nennt. Es ist nämlich derart, dass man nicht ohne Grund annehmen könnte, dass es die hebräischen und chaldäischen Sprachen, die seit so vielen Jahren wie ausgestorben daniedergelegen haben, wieder ans Licht bringen könnte.

Viele Handschriften sind zuvor im Umlauf gewesen. Aber die waren so sehr ihres Glanzes beraubt, dass die Zahl ihrer Fehler fast die Worte selber erreichte, und nichts dringlicher von ihnen verlangt wurde, als der wahre und ursprüngliche Glanz. Dass der ihnen vor uns jetzt wiedergegeben ist, werden alle, die es lesen, erkennen.

Daniel Bomberg aus Antwerpen nämlich, der schon von früher Jugend an von der Liebe zur Wissenschaft ergriffen wurde, und der in den Studien der schönen Künste immer bewandert gewesen ist, der sich unter unserer Leitung eifrig um das Studium des Hebräischen bemüht und darin sehr gute Fortschritte gemacht hat, der auch uns bei diesem Vorhaben ermuntert hat, – dieser Daniel, sage ich, hat weder Mühe noch Kosten gescheut und dafür gesorgt, dass diese Bücher zum öffentlichen Nutzen gedruckt werden, nachdem sie unter Kollationierung sehr vieler Handschriften durch unsere Bemühungen, Zuverlässigkeit und Exaktheit korrekt hergestellt waren, eine äusserst schwierige Sache, die darum von andern bisher nicht in Angriff genommen worden ist.

Diesen [biblischen Büchern] haben wir beigefügt die hebräischen Erklärungen der Alten, und die chaldäischen [d. i. Targume], nämlich das gewöhnliche und das Jerusalemische, in denen viele Geheimnisse und verborgene Mysterien sind, die für die christliche Frömmigkeit von Nutzen sind.

Dies alles haben wir der Öffentlichkeit in deinem Namen vorlegen wollen, und das nicht grundlos. Da nämlich von dieser anzuwendenden Urkunde das Fundament und aller Sinn der christlichen Frömmigkeit hergeleitet wird, und wir alle Dich als das eigentliche Haupt der Christlichen Kirche auf Erden verehren, wird niemand auf den Gedanken kommen, dass diese Widmung an dich nicht zu recht erfolgt ist.

Nimm also dieses entgegen mit der Heiterkeit des Gemütes, mit der du mich und meine Arbeiten aufzunehmen pflegtest, und mit dem Wohlwollen und der Hilfe, mit der Du die Wissenschaften und Schönen Künste zu fördern begonnen hast – so wird es geschehn, dass jene ihren verlorenen Schmuck vollständig wiedererhalten und Du Dir vollkommenen Ruhm erwirbst. Lebe wohl! Venedig 1517.

Wir sehen aus dieser Widmung an den Papst: Felix ist ein typischer Humanist. Stolz hebt er hervor, welche Fortschritte das Studium des Lateinischen und Griechischen durch den Humanismus gemacht hat. Er gibt sich der Hoffnung hin, dass seine Bemühungen um den Bibeltext auch das Studium des Hebräischen und Chaldäischen neu beleben werde.

Für seine Ausgabe des hebräischen Bibeltextes hat er sich eine grosse Zahl von Handschriften verschafft. Er hat sie sorgfältig gesichtet und aufgrund der besten einen korrekten Bibeltext hergestellt, mit allen Vokalen, Akzenten und Lesezeichen. Die von ihm kollationierten Handschriften ergaben eine Anzahl von *variae lectiones*, die er dem Bibeltext vom Buche Josua ab – so weit seine Vorlagen reichten – beisetzte. Leider erfahren wir nichts Näheres über die Handschriften, die er zur Verfügung hatte, auch nichts über den Umfang derselben. Nur dass darunter solche waren, die viele Fehler – gelegentlich so viele Fehler als Worte – enthielten. Ginsburg hat das für eine grosse Übertreibung gehalten. Derartige Handschriften seien ihm nie vorgekommen. Hätte er aber z. B. den berühmten Reuchlin'schen Prophetenkodex in Karlsruhe, den er für seine grössere Bibelausgabe benutzt haben will, wirklich studiert, so hätte er leicht sehen können, dass kaum ein Wort dieses Kodex so punktiert ist, wie wir es in unsern Bibelausgaben finden. Der Kodex stammt von einer andern Masoretenschule. Felix konnte unter den älteren Handschriften die er heranzog, leicht derartige Codices finden. Leider wissen wir nicht, wo die von Felix benutzten Handschriften geblieben sind. Sie werden im Besitze von Daniel Bomberg gewesen sein, mit dessen Mitteln sie wohl gekauft waren. Aber Jacob b. Chaijim, der die Arbeit des Felix am Bibeltexte, freilich in anderer Weise, fortsetzte, konnte mit älteren abweichenden Bibelhandschriften nichts anfangen.

Über die Masora hat Felix sehr wohl Bescheid gewusst. Er hat als erster in seinem Bibeltext die von der Masora festgelegten Stellen, an denen anders zu lesen war als geschrieben stand ($qr^{\bar{e}}$ und $kt^{\bar{\imath}}b$) verzeichnet, hat die nach der Masora verschieden zu schreibenden Buchstaben (literae majusculae, suspensae, inversae etc.) sorgfältig berücksichtigt, hat ein für den tiberischen Bibeltext so grundlegendes Werk wie die Dikduke ha-Teamim des Ahron b. Asher zum Abdruck gebracht und anderes wichtiges masoretisches Material seinem Bibeltext beigegeben. Auf den Gedanken, aus mangelhaftem masoretischem Material mit Hilfe des masoretischen Textus receptus eine *korrekte* Masora zu kompilieren und sie als Stütze seinem Bibeltext beizugeben, ist er als wissenschaftlich geschulter Humanist nicht gekommen. Das ist dem Jacob b. Chaijim vorbehalten geblieben, dem gelehrten jüdischen Refugee aus Tunis, der als Korrektor bei Bomberg's Druckerei Arbeit gefunden hat und bei der Herausgabe von erstaunlich vielen wichtigen hebräischen Texten beteiligt gewesen ist. Er hat seine grossen Verdienste gehabt, aber von der durch den Humanismus geschaffenen wissenschaftlichen Betrachtung der Dinge ist er doch nur insofern beeinflusst gewesen, als ihm der von Felix geschaffene Bibeltext vorlag, den er für seine Ausgabe in seiner Weise verwendete.

Die *Complutensische Polyglotte* verdankt ihre Entstehung den Bemühungen von Francisco Cardinal Ximenes de Cisneros, dem Erzbischof von Toledo. Er hat den Plan einer Ausgabe des hebräischen Bibeltextes in seiner Polyglotte zu einer Zeit gefasst, da an den Druck des hebräischen Bibeltextes oder seiner Teile nur von jüdischen Kreisen gedacht wurde. In dem Prolog zu seiner Polyglotte schreibt er an den Papst, dem die Ausgabe gewidmet war:

Qua in re id aperte Beatitudini tuae testari possumus . . . maximam laboris nostri partem in eo praecipue fuisse versatam, ut et virorum in linguarum cognitione eminentissimorum opera uteremur et castigatissima omni ex parte vetustissimaque exemplaria pro archetypis haberemus quorum quidem tam hebraeorum quam graecorum et latinorum multiplicem copiam variis ex locis non sine summo labore conquisimus.

In dieser Angelegenheit können wir Deiner Glückseligkeit offen bezeugen . . . dass der grösste Teil unserer Arbeit vorzüglich darauf verwendet wurde, dass wir uns der Mitarbeit der Männer bedienten, die in der Kenntnis der Sprachen am hervorragendsten waren, und dass wir die in jeder Hinsicht korrektesten und ältesten Handschriften als Vorlagen hätten, von denen wir denn auch sowohl von den hebräischen als auch von den griechischen und lateinischen eine bedeutende Anzahl von verschiedenen Plätzen nicht ohne grösste Mühe erworben haben.

Was die Fachleute anlangt, so musste er für die Bearbeitung des hebräischen Textes jüdische Gelehrte heranziehen, da christlich geborene Gelehrte mit genügender Kenntnis des Hebräischen in damaliger Zeit nicht vorhanden waren. Der berühmteste unter ihnen war Alfonso de Zamora, der 1474 geboren, sich dem Studium der Orientalischen Sprachen an der Universität Salamanca gewidmet hatte. Er wurde im Jahre 1512 als Professor der Orientalischen Sprachen an die Universität Alcala berufen, der Stätte für die Arbeit an der Polyglotte und ist da bis zu seinem Tode ein hervorragender Vertreter seines Faches gewesen.[1]

Ein anderer war Pablo Coronel, der um 1480 in Segovia geboren, an der Universität Salamanca Theologie studiert hatte. Er wurde im Jahre 1502, als er schon in Salamanca dozierte, vom Cardinal für die Arbeit an der Polyglotte gewonnen und ist bis zur Beendigung der Arbeit im Jahre 1517 an ihr tätig gewesen. In ihm haben wir wohl den Mann zu sehn, der

[1] Professor Pérez Castro hat in der Einleitung zu seinem Werke *El Manoscrito Apologetico de Alfonso de Zamora. Tradución y Estudio*, Madrid 1950, p. xi–lx, ausführlich über Alfonso de Zamora gehandelt. Wir kennen nicht das Jahr seines Todes, wissen aber, dass er im Jahre 1544 noch gelebt hat, s. Perez Castro, l.c. p. xxxi.

für die Arbeit an der Polyglotte hauptsächlich verantwortlich gewesen ist. Er hat sich später nach Segovia zurückgezogen und ist dort im Jahre 1534 gestorben.

Ein dritter war ein gewisser Alfonso de Alcala, von dem es heisst er habe als Jurist und Mediziner einen Namen gehabt.

Wir wissen nicht, wie diese Männer die Arbeit an der Polyglotte unter sich verteilt haben. Aus gelegentlichen Notizen geht hervor, dass Alfonso de Zamora u.a. für die Ausgabe des Targum Onkelos und seine Übersetzung verantwortlich ist, und dass Paul Coronel das den Ergänzungsband eröffnende Vocabularium Hebraicum verfasst hat, eine sehr beachtliche Leistung.[1] Dass der Cardinal bemüht gewesen ist die korrektesten und ältesten Handschriften für den Text zu verwerten, schreibt er selber an den Papst. Alvar Gomez, der älteste und zuverlässigste unter den Biographen des Cardinals, bezeugt, dass Alfonso de Zamora wiederholt erklärt habe, dass er sieben hebräische Bibelhandschriften für den Cardinal um den Preis von 4000 Goldstücken erworben habe, und Alvar Gomez hat Alfonso de Zamora noch persönlich in Alcala gekannt.[2]

Die dem Cardinal gehörigen Handschriften wurden im Colegio de San Ildefonso in Alcala aufbewahrt und sind bei der Verlegung der Universität Alcala nach Madrid im Jahre 1836 nach der Universitätsbibliothek in Madrid überführt worden. Vier den hebräischen Bibeltext enthaltenden Handschriften in

[1] Vgl. die drei als Reformationsprogramme der Universität Leipzig erschienenen Untersuchungen von Franz Delitzsch:

I. *Studien zur Entstehungsgeschichte der Polyglottenbibel des Cardinals Ximenes.* 1871.

II. *Complutensische Varianten zu dem Alttestamentlichen Texte.* 1878.

III. *Fortgesetzte Studien zur Entstehungsgeschichte der Complutensischen Polyglotte.* 1886.

Ich verweise ferner auf:

P. Mariano Revilla Rico, *La Políglota de Alcalá. Estudio histórico-crítico*, Madrid 1917.

P. Kahle, *The Hebrew Text of the Complutensian Polyglot*, Festschrift für Millas Valicroza, Vol. I, Barcelona 1953.

Chr. D. Ginsburg handelt von der Complutensis in seiner *Introduction*, London 1897, p. 905–25.

[2] Alvar Gomez, *De rebus gestis a Francisco Ximenio Cisnerio, Archiepiscopo Toletano libri octo.* Compluti 1569, fol. 37 v.

starken roten Einbänden mit dem Wappen des Cardinals sind durch einen von Sr. Vallejo in den Jahren 1741-5 verfassten (unpublizierten) Catalogo de la Libreria de San Ildefonso für Alcala bezeugt, und durch den von D. José Villa-amil y Castro in Jahre 1878 in Madrid veröffentlichten *Catalogo de los MSS existentes en la Biblioteca del Noviciado de la Universidad Central* für Madrid nachgewiesen. Pater Mariano Revilla Rico hat in seinem 1917, anlässlich des 400 jährigen Jubiläums der Polyglotte, verfassten Buches *La Políglota de Alcalá* auf S. 83-5 über die vier Handschriften berichtet. Es handelt sich um folgende 4 Handschriften:

I. Vollständige Bibel, 3 Kolumnen, Pergament, nach Arias Montano spätestens aus dem 12, Jahrhundert. Der Codex ist 1280 in Toledo an zwei Ärzte, R. Isaak und R. Abraham, Söhne eines R. Maimon, verkauft.

II. Vollständige Bibel. 2 Columnen, Pergament, geschrieben 1482 in Tarazona.

III. Pentateuch mit Onkelos und Haftaren, Pergament, 2 Columnen, Targum auf den Seitenrändern. 12. Jahrhundert.

IV. Pentateuch, Pergament, 2 Columnen, durch Papierblätter ergänzt am Anfang und Ende auf Veranlassung von Alfonso de Zamora. 12. oder 13. Jahrhundert.

Es ist ausser Zweifel, dass diese vier Handschriften zu den sieben gehört haben, die Alfonso de Zamora für den Cardinal erworben hat. Die aus dem 12. oder 13. Jahrhundert stammenden Handschriften I, III und IV sind als alte Codices anzusprechen, an deren Erwerb dem Cardinal so sehr gelegen war. Cod. 1 ist von Ginsburg in seiner Introduction als Cod. 59 beschrieben worden. Er hat da das Colophon von fol. 334 v abgedruckt und übersetzt (p. 771 f.), aber irrtümlich das Jahr des Verkaufs des Codex auch als das Jahr der Niederschrift angesehn. Aber davon ist nicht die Rede. Der Codex ist erheblich älter. Ginsburg hat sich bei der Beurteilung der wenigen älteren

Codices, die ihm zu Gesicht gekommen sind, gewöhnlich geirrt. Für die Eigenart dieser älteren Handschriften hat er kein rechtes Verständnis gehabt.

Drei weitere Codices, die in den erwähnten Katalogen für Alcala und später für Madrid bezeugt sind, enthalten aramäische Texte, keine Bibeltexte, und zwei von ihnen sind erst im 16. Jahrhundert geschrieben und können schon aus diesem Grunde nicht zu den für den Cardinal erworbenen Handschriften gehört haben.

Neuerdings hat Pater José Llamas, O.S.A.,[1] Professor de Ciencias Biblicas en el Monasterio del Escorial, den Nachweis zu erbringen versucht, dass der in der Bibliothek des Escorial befindliche Bibelcodex G – I – 5 zu jenen sieben Handschriften gehört habe, ja dass er die Hauptvorlage für den Polyglottentext gewesen sein soll. Der Codex weist heute noch 182 (gezählt als 183) folios auf. Er hat bei einem Feuer im Escorial im Jahre 1671 stark gelitten und mindestens 180 Blatt des Codex sind damals verloren gegangen. Der jetzige Einband des Codex ist im 18. Jahrhundert im Escorial angefertigt worden. Der Codex ist 1476 geschrieben und enthält Teile der Ketubim. Er ist auf Pergament in zwei Columnen geschrieben, das Targum steht auf dem Seitenrande, auf dem oberen und unteren Rande stehen Kommentare in rabbinischer Kursivschrift. Menachem b. Salomo Meir und David Kimhi zu den Psalmen; Levi b. Gersom zu Ruth, Ecclesiastes, Esther, Daniel, Ezra; Salomo b. Jarchi zu Threni, Daniel, Ezra, Ibn Ezra zu Ruth. Am Ende von Ezra (fol. 162) steht das Datum. Auf fol. 163–83 steht ein von Meir Levita b. Todros 1227 verfasstes masoretisches Verzeichnis in einer Abschrift vom Jahre 1465. Fol. 66v mit dem Text von Psalm 115.3-16 ist am Ende des Buches als Facsimile gegeben. Der Codex ist zweifellos in den Händen der Bearbeiter des Polyglottentextes gewesen. Alfonso de Zamora

[1] P. José Llamas, O.S.A., *Un manuscrito desconoscido, ejemplar directo del texto hebraeo Complutense, Estudio publicado en „Religion y Cultura"*, Escorial, 1933.

hat den Seiten des Codex die lateinischen Namen der biblischen Bücher und Kapitel- und Verszahlen beigegeben. Aber in diesem modernen Codex die Grundlage des Polyglottentextes zu sehn, ist wie sich gleich zeigen wird, völlig unmöglich, es ist auch sehr unwahrscheinlich, dass dieser Codex zu den 7 für den Cardinal gekauften Codices gehört hat.

Die vier in der Universitätsbibliothek zu Madrid aufbewahrten Codices haben leider während des letzten Bürgerkrieges sehr gelitten. Sie haben, wie man mir sagte, zeitweilig in den Schützengräben gelegen, die oft ganz in der Nähe des Bibliotheksgebäudes verlaufen sind. Sie haben ihre Einbände verloren und bestanden, als man sie mir auf meine Bitte im Frühjahr 1951 in der Universitätsbibliothek zeigte, aus Haufen ungeordneter Blätter, die man erst mit aller Sorgfalt wird in Ordnung bringen müssen, ehe man sie wieder mit Erfolg wird benutzen können, und es scheint mir, dass von ihnen viel verloren gegangen ist. Glücklicher Weise sind wenigstens die ersten beiden Codices genauer untersucht worden, und zwar durch einen Fachmann wie Franz Delitzsch.

In seiner Arbeit *Complutensische Varianten zum Alttestamentlichen Text* (Leipzig 1878) hat Delitzsch mehr als 90 Stellen des Polyglottentextes aus den verschiedenen biblischen Büchern (von Josua bis Chronik) mit dem auf den Ben Chaijim-Text zurückgehenden Textus receptus verglichen, dabei auch eine Reihe von andern Handschriften, die ihm geeignet erschienen, zu Rate ziehend, vor allem aber die Codices 1 und 2 der Universitätsbibliothek in Madrid. Er ist dabei zu folgendem Resultat gekommen:

„Jede Erweiterung der Vergleichung des complutensischen Textes mit den beiden Madrider Handschriften würde nur den bereits sattsam erbrachten Beweis befestigen, dass er eben aus diesen Handschriften, und vorzugsweise aus der ersten, geschöpft ist; zugleich aber, dass den Bearbeitern wenigstens noch eine Handschrift zur Hand gewesen sein muss, deren

Lesarten sie hie und da gegen die der zwei Haupthandschriften bevorzugten.

„Zweitens wird aus dem Zeugenverhör . . . hervorgegangen sein, dass der complutensische Text, trotz aller durch Bearbeiter, Setzer und Korrektoren verschuldeten Mängel einen hohen kritischen Wert hat und dass der Text unser Ausgaben vielfach dagegen zurücksteht.

„Drittens wird unsere Besprechung die Überzeugung gewirkt und verstärkt haben, dass der cursierende Alttestamentliche Text einer gründlichen Revision bedarf und dass es sich dabei nicht bloss um Kleinigkeiten ohne Belang für Sinn und Verständnis handelt."

Delitzsch führt dann noch zwei weitere Punkte auf, die die Beziehung zwischen Masora und Grammatik einerseits, die Bedeutung der Punktation für aus dem Alten Orient überlieferte Wörter und Namen andererseits betreffen, die aber in diesem Zusammenhang unwesentlich sind. Aber die drei ersten Punkte sind von Bedeutung. Sie beweisen, dass die Bearbeiter des hebräischen Textes der Polyglotte tatsächlich alte Handschriften benutzt haben, die vielfach Lesarten boten, die denen der gewöhnlichen Bibelausgaben, die den Textus receptus boten, vorzuziehen waren.

Als ein solcher alter Codex ist zweifellos Cod. 1 der Madrider Universitätsbibliothek anzusehn. Ich habe die von Delitzsch festgestellten besseren Lesarten mit dem Ben Ashertext verglichen, wie er seit 1937 in der Stuttgarter Biblia Hebraica gedruckt vorliegt und habe festgestellt, dass ein grosser Teil dieser „besseren" Lesarten sich im Ben Asher-Text findet, wie er um 900 in Tiberias festgelegt war und wie er von jüdischen Autoren des 10. und der folgenden Jahrhunderte durchweg verwendet wurde. Man muss allerdings, um das zu erkennen, Handschriften einsehn, da in den Druckausgaben die Bibelzitate zumeist nach dem Textus receptus „korrigiert" worden sind (cf. The Cairo Geniza, London 1947, p. 77). Zu diesen Ben

Asher Texten haben wir die Codices 1, 3 und 4 der Universitätsbibliothek in Madrid zu rechnen.

Aber Delitzsch hat festgestellt, dass die Bearbeiter des Polyglottentextes gelegentlich noch einem andern Text gefolgt sind, über den Delitzsch nichts weiter auszusagen weiss. Wir können heute auch diese Textgestalt feststellen, wie ich unten zeigen werde.

Ein Blick in den hebräischen Text der Complutensis genügt um zu erkennen, dass die Herausgeber den hebräischen Text der Bibel nicht so abgedruckt haben, wie ihn die ihnen vorliegenden Handschriften boten. Sie haben den Text mit Absicht in bestimmter Hinsicht verändert, und man kann sagen, dass es auf der ganzen Welt keine hebräische Bibelhandschrift gibt, die dem in der Complutensis abgedruckten Text in jeder Hinsicht entspricht, ausser der Vorlage des Polyglottentextes, von der ich mehrere Bände im Instituto Arias Montano in Madrid gesehen habe, wohin man sie aus verschiedenen Bibliotheken entliehen hatte. Franz Delitzsch hat von dieser Vorlage nichts zu sehen bekommen, aber der bekannte Textkritiker des Neuen Testaments, Tregelles, hat den ersten Band dieser Vorlage gesehen und hat Delitzsch davon berichtet, als er ihn im Jahre 1862 in Erlangen aufsuchte. Nach Delitzsch habe Tregelles in Madrid einen Pergament-Folio-Band gesehen, der den Inhalt des ersten Bandes des Complutensischen Bibelwerkes in 3 Columnen (Hebräisch, Lateinisch, Griechisch) darstellte. Nach Tregelles habe der Cardinal anfangs nichtm i Sinne gehabt, das Bibelwerk drucken zu lassen. Er habe es nur handschriftlich ausführen lassen wollen, um der königlichen Familie am Geburtstag eines Infanten ein Geschenk damit zu machen. (Delitzsch I.44). Ich weiss nicht, ob diese Vermutung Tregelles zutrifft, aber sicher ist, dass der in dieser Vorlage stehende hebräische Text genau dem in der Polyglotte abgedruckten Texte entspricht. Dieser hebräische Text wird nun von Delitzsch in folgender Weise beschrieben:

„Der . . . Text . . . ist nicht accentuiert, sondern nur vokalisiert, und auch das unzureichend und ungenau; denn bei den Chatefs steht ihr Scheba-Zeichen zwar zuweilen . . . noch häufiger aber nicht. Das Makkef-Zeichen fehlt durchaus. Von den Accenten ist nur das Athnachta verwendet, aber es steht nicht unter dem Wort bei dessen Tonsilbe, sondern in hässlicher Weise nebenan, und dies Athnachta vertritt in Iob, Psalmen und Sprüchen zugleich den hier heimischen grösseren Trennungsaccent, das Mercha-Mehuppach, so dass z. B. in Ps. 1.1. (was dem Accentuationssystem nach unmöglich) zwei Athnachta angebracht sind. Für das Dagesch ist gesorgt, aber auf das entgegengesetzte Raphe-Zeichen ist gänzlich verzichtet.

„Diese Mängel sind einigermassen compensiert durch zwei Sonderbarkeiten. Ein dem Accent Paschta ähnliches Strichelchen wird verwendet, um die Penultima-Betonung der Wörter anzuzeigen. . . Und um dem Anfänger die Auffindung der sogenannten Radix zu erleichtern, sind die Servilbuchstaben בכלמ nebst dem ה des Artikels und der Frage, mit Ausschluss aber des verbindenden ו und des relativen ש, oben mit einem wie der Accent Mehuppach aussehenden Zeichen versehn. . . Die Schreib – und Druckfehler sind unzählig.“

Diese sachlich korrekte Darstellung zeigt worum es sich handelt. Nach Delitzsch liegen hier Unvollkommenheiten und Mängel des Druckes vor, die man entschuldigen müsse, und er tut das mit dem Hinweis darauf, dass die typographische Darstellung des hebräischen Bibeltextes mit all seinen Attributen (Vokalen, Lesezeichen, Accenten) bereits einen Gipfel künstlerischer Vollendung erreicht hatte, hinter der die Complutensis in weitem Abstande zurückblieb.

Mir scheint es schon an sich bedenklich, hier an eine Unvollkommenheit des Druckes zu denken. Der Cardinal, dem seine Polyglotte so sehr am Herzen lag, und die von ihm herangezogenen Fachleute hätten wohl leicht die erforderlichen Setzer

und die Typen beschaffen können, mit denen typographisch einwandfreie Leistungen hätten erzielt werden können.

In Wirklichkeit hat man sich in Alcala bei der Ausgabe des hebräischen Bibeltextes ganz bestimmte Ziele gesetzt und diese auch durchgeführt. Das ist Delitzsch nicht klar geworden. Noch viel weniger ist das der Fall gewesen bei Ginsburg, der in seiner Introduction auf p. 912 ff. auf diese Dinge zu sprechen kommt. Die entscheidende Stelle im Prologe der Polyglotte lautet:

> Illud est enim considerandum quod in hebraicis characteribus scienter omisimus apices illos quibus nunc utuntur Hebraei pro accentibus. Nam hi cum ad nullam vel significati vel pronunciationis differentiam pertineant, sed ad solam cantus ipsorum modulationem merito a veteribus Hebraeis rejecti sunt; quae in his imitari maluimus. . .

> Dies ist nämlich zu beachten, dass wir bei den hebräischen Buchstaben absichtlich jene Aufsätze fortgelassen haben, welche die Hebräer jetzt als Accente gebrauchen. Denn da diese auf keine Verschiedenheit, sei es des Bezeichneten, sei es der Aussprache, sich beziehen, sondern lediglich auf die Modulation ihres Gesanges (gesanglichen Vortrags), sind sie mit Recht von den alten Hebräern verworfen worden. Diesen haben wir in diesen Dingen nachahmen wollen.

Diese Worte des Prologus der Polyglotte machen es vollkommen klar, dass die Bearbeiter des Polyglottentextes hebräische Handschriften vor sich gehabt haben müssen, die gewisse Eigentümlichkeiten aufwiesen, welche der hebräische Text der Polyglotte bietet.

Ich habe in meiner Arbeit *The Hebrew Text of the Complutensian Polyglot* (Beitrag zur Festschrift für Professor José Mª. Millas Vallicrosa, vol. 1, Barcelona 1953) den Nachweis geführt, dass es sich dabei um babylonische Bibelhandschriften gehandelt haben muss, und zwar um solche mit einfacher babylonischer Punktation, so wie sie etwa in der ursprünglichen Punktation der Berliner Handschrift or qu 680 vorliegt, die ich seinerzeit genau untersucht habe;[1] sie ist mit ihren mehr als 100 Blättern die weitaus umfangreichste babylonische Bibelhandschrift, die auf uns gekommen ist und soll jetzt vollständig in Spanien herausgegeben werden. Seitdem sind eine ganze Anzahl von Fragmenten aus der Cairoer Geniza bekannt geworden, die eine ähnliche Punktation bieten.[2] Diese Handschriftengruppe weist im wesentlichen die Eigentümlichkeiten auf, die von Franz Delitzsch als in der Complutensis vorliegend aufgezählt werden. Sie kennt keine Chatefs sondern gebraucht statt ihrer Vollvokale, sie kennt kein Makkef, keine conjunktiven Accente. Sie verwendet – ganz wie der Polyglottentext – das dem Athnachta entsprechende Accentzeichen auch in den drei sog. poetischen Büchern, den Psalmen, Iob und den Sprüchen, und dies Accentzeichen steht nicht bei der Tonsilbe des Wortes, sondern – ganz wie im Polyglottentext – hinter dem Worte, zu dem es gehört. In dieser Handschriftengruppe werden die andern distinktiven Accente durch kleine hebräische Buchstaben bezeichnet, die aber nicht bei der Tonsilbe des Wortes stehn, sondern nur allgemein bei dem Worte, zu dem sie gehören, und die deshalb von den Bearbeitern des Polyglottentextes nicht als Accente erkannt worden sind. So haben diese Bearbeiter auf den Gedanken kommen können, dass die *alten Hebräer*, die jene Handschriften geschrieben haben, keinerlei Accente verwendeten und dass sie ihnen nachgeahmt haben, wenn sie jene *apices*, die die Hebräer *jetzt* als Accente verwenden, fortgelassen haben.

Diese Übereinstimmungen zwischen den babylonischen Bibelhandschriften und dem Polyglottentext können nicht zufällig sein, und es kann keinem Zweifel unterliegen, dass die

[1] *Der Masoretische Text des Alten Testaments nach der Überlieferung der Babylonischen Juden*. Leipzig 1902.

[2] Vgl. zu ihnen mein Buch: *Masoreten des Ostens*, Leipzig 1912, passim. Es handelt sich um die in meiner Arbeit: Die hebräischen Bibelhandschriften aus Babylonien (ZAW, Bd. 46, 1928, S.113–37) unter Ea, Eb und Ec aufgeführten Handschriften.

Bearbeiter des Polyglottentextes babylonische Bibelhandschriften dieses Typs vor sich gehabt haben, und wir werden auch mit Sicherheit annehmen können, dass der von Delitzsch postulierte weitere Text dessen Lesarten die Bearbeiter des Polyglottentextes gelegentlich gefolgt sind (s. oben, S. 65) kein anderer als der Konsonantentext dieser babylonischen Bibelhandschriften gewesen ist.

Wir wissen, dass als die talmudischen Hochschulen in Babylonien im Laufe des 10. Jahrhunderts zu Ende gingen, Spanien ein Zentrum für die jüdischen Wissenschaften geworden ist. In Spanien hat man an die babylonischen Überlieferungen angeknüpft und sie fortgeführt. Es ist ganz sicher, dass z. B. die Aussprache des Hebräischen, wie sie in Babylonien üblich war, in Spanien weiter gepflegt und fortgebildet ist. Diese Aussprache setzt babylonisch punktierte Bibelhandschriften voraus. In Spanien drang, wie überall im Judentum, die tiberische Punktationsmethode durch – die babylonische Punktationsmethode wurde überall so vollkommen vergessen, dass sie erst im Laufe des 19. Jahrhunderts wieder neu entdeckt werden musste. Die tiberische Punktation setzt eine andere Aussprache des Hebräischen voraus als die in Babylonien übliche. In Spanien musste man nun die aus Babylonien übernommene Aussprache des Hebräischen mit der aus Palästina übernommenen tiberischen Punktationsmethode in einen gewissen Einklang bringen. Für diese Arbeit waren babylonische Bibelhandschriften eigentlich unerlässlich. Von der Existenz solcher babylonischen Bibelhandschriften in Spanien haben wir bisher nie gehört. Der hebräische Text der Complutensis zeigt nun mit aller Deutlichkeit, dass solche babylonischen Bibelhandschriften in Spanien existiert haben müssen, dass sie um 1500 noch aufgefunden werden konnten, und dass sie den Bearbeitern des hebräischen Textes der Polyglotte zur Verfügung gestanden haben müssen.

Diese babylonischen Bibelhandschriften müssen sehr alt

gewesen sein. Wie babylonische Bibelhandschriften im 10. Jahrhundert ausgesehen haben, dafür hat sich in dem berühmten babylonischen Petersburger Prophetencodex vom Jahre 916 ein charakteristisches Beispiel erhalten. Dieser Codex ist in Punktation und Masora dem von den Masoreten von Tiberias geschaffenen Bibeltext bereits so sehr angeglichen, dass in ihm nicht viel mehr als die äussere Form der Vokalzeichen noch babylonisch ist. Die Gruppe von hebräischen Bibelhandschriften mit echter babylonischer Punktation, um die es sich hier handelt, kann nicht später sein als das 9. Jahrhundert, d.h. sie stammen noch aus der Zeit der Blüte der talmudischen Hochschulen in Babylonien. Diese alten Bibelhandschriften waren längst ausser Gebrauch gekommen, und wurden kaum noch von jemand verstanden. Sie mögen in ganz alten Synagogen Spaniens, vielleicht in ihren Genizas, aufbewahrt gewesen sein. Einem Fachmann wie Alfonso de Zamora muss es gelungen sein, derartige alte Handschriften aufzufinden, und wir müssen annehmen, dass er in alten Synagogen auf sie gestossen ist. Dass Handschriften aus den alten Synagogen in Toledo und Maqueda für die Herstellung des hebräischen Textes der Polyglotte verwendet worden sind, ist durch einen der Biographen des Cardinals ausdrücklich bezeugt worden.[1] Diese Handschriften haben in der Tat zu den *vetustissima exemplaria* gehört, von denen der Cardinal Ximenes dem Papste im Prologus berichtet. Diese uralten Handschriften haben auf die humanistisch gebildeten Bearbeiter des Polyglottentextes einen solchen Eindruck gemacht, dass sie auf grund ihrer den ihnen in alten tiberischen Handschriften vorliegenden Bibeltext in prinzipieller Weise modifiziert haben.

Wir werden annehmen können, dass diese uralten Handschriften irgend wie zu den sieben hebräischen Handschriften

[1] Pedro Quintanilla y Mendoza, *Archetipo de virtudes, espejo de prelados, el venerable padre y siervo de Dios F. Francisco Ximenes de Cisneros*, Palermo 1653, p. 137.

gehört haben, die Alfonso de Zamora für den Cardinal erworben hat. Von diesen sieben Handschriften waren zur Zeit der Abfassung des Catalogs (1741-5) nur die vier oben (S, 10) aufgeführten Handschriften in der Bibliothek des Colegio San Ildefonso in Alcala noch vorhanden, dieselben, die dann 1836 nach der Universitätsbibliothek in Madrid überführt worden sind. Es ist sehr wohl denkbar, dass das hohe Alter und die Seltenheit dieser Handschriften für den hohen Preis mit entscheidend gewesen ist. Wo mögen diese alten und kostbaren Handschriften geblieben sein?

Wir wissen, dass den beiden Professoren D. G. Moldenhauer and O. G. Tychsen, die im Jahre 1784 im Auftrage der Dänischen Regierung nach Alcala kamen, um nach griechischen Bibelhandschriften zu fragen, die bei der Polyglotte benutzt worden sind, mitgeteilt wurde, dass eine grosse Zahl derartiger Handschriften aus der Bibliothek von San Ildefonso vor rund 35 Jahren als altes Papier oder Pergament an einen Feuerwerker Torija in Alcala verkauft worden sind und dass er sie mit mit Raketen in die Luft geschossen habe. Diese Raketengeschichte hat, als sie 1785 bekannt wurde, in Europa ein ungeheures Aufsehn erregt. Über ihre Richtigkeit oder Unrichtigkeit ist lange und mit grosser Erbitterung gestritten worden. Ich möchte mich hier darauf beschränken, einige Sätze aus einer Eingabe anzuführen, die unter dem Datum des 14. Dezember 1769 an den Spanischen König Carlos III (1759-88) gerichtet worden ist. Diese Eingabe ist von einer prominenten und ernst zu nehmenden Persönlichkeit, D. Pérez Beyer, verfasst, unter dem Titel *Memorial a Carlos III contra los Colegios Mayores* und wird in der Universitätsbibliothek in Madrid aufbewahrt. Ich zitiere daraus nach dem Buche von P. Mariano Revilla Rico, p. 72, die folgende Stelle:

> la otra (acusación) es haber dicho Colegio de San Ildefonso o sus Colegiales, como unos treinta años ha vendido cantidad de códices manuscritos,

Hebraeos y Griegos que eran los mismos que el insigne Cardenal Cisneros habia hecho buscar por la Europa a precio de oro, para que sirviesen de originales en la edición, de la famosa Biblia Complutense, a cierto polvorista deAlcalá, llamado Torija, padre del que hoy vive en aquella ciudad, del mismo nombre, por muy poco dinero y como papeles y pergaminos viejos, que no servian sino para cohetes, en los que emplearon. . .

Das will besagen, dass aus der Bibliothek des Colegio San Ildefonso 30 Jahre vor Abfassung dieses Memorial, d.h. im Jahre 1739, eine grosse Zahl von *hebräischen und griechischen* Handschriften, die der Cardinal Cisneros um den Preis von Gold erworben hatte, und die als Vorlagen bei der Ausgabe der berühmten Biblia Complutensis gedient haben, an einen Feuerwerker aus Alcala namens Torija, den Vater dessen der heute noch unter demselben Namen in jener Stadt lebt, für ganz geringes Geld als altes Papier und Pergament verkauft worden ist, um für nichts anders als für Raketen zu dienen, wofür es auch verwendet worden ist.

Anschuldigungen dieser Art mit all diesen Details in einer Eingabe an den König, die von einem ernst zu nehmenden Manne verfasst worden ist, sind doch eigentlich nur denkbar, wenn für sie positive Unterlagen vorhanden waren. Wir müssen also damit rechnen, dass diese Anschuldigungen zu recht bestehen und dass tatsächlich um das Jahr 1739 neben wichtigen griechischen Bibelhandschriften auch hebräische Handschriften aus der Bibliothek von San Ildefonso in Alcala verloren gegangen sind, und dass es sich bei diesen hebräischen Handschriften um die alten babylonischen Bibelhandschriften gehandelt hat, die in jener Bibliothek als *vetustissima exemplaria* existiert haben müssen, die von den Bearbeitern des hebräischen Polyglottentextes noch verwertet worden sind, und die nicht mehr vorhanden sind. Es hat den Anschein, dass jener Catalog der Bibliothek von San Ildefonso in den Jahren 1741-5, unmittelbar nach den Verlusten der Bibliothek um das Jahr 1739, angefertigt worden ist, um weiteren Verlusten vorzubeugen.

Es ist erstaunlich zu beobachten, wie die vom Cardinal Ximenes de Cisneros herangezogenen humanistisch gebildeten Bearbeiter des hebräischen Textes der Polyglotte in ihrem Bestreben, *alte* Texte für die Ausgabe heranzuziehen, es fertig gebracht haben, die beiden Textgestalten sich zu verschaffen, die auch heute noch für uns als die beiden Hauptquellen für eine kritische Ausgabe des masoretischen Textes der hebräischen Bibel in Betracht kommen müssen: einmal den in Tiberias im 10. Jahrhundert abgeschlossenen Ben Asher-Text, den sie in relativ alten Handschriften haben benutzen können, sodann den masoretischen Bibeltext, der um 100 Jahre zuvor in Babylonien geschaffen worden ist, von dem sie noch uralte Handschriften vor sich gehabt haben, der dann Jahrhunderte lang vollkommen vergessen gewesen ist, der aber heute wieder in weitem Umfange zugänglich geworden ist, und der als der älteste masoretische Text, der von jüdischen Gelehrten geschaffen worden ist, ganz besonderes Interesse verdient.

Der Fehler, den die Herausgeber begangen haben, hat darin bestanden, dass sie sich berechtigt geglaubt haben, den Ben Asher-Text nach dem älteren babylonischen Text, den sie, wie wir sahen, zum Teil nicht richtig verstanden haben, zu modifizieren. Das Resultat ist ein Compromiss gewesen, das keiner der beiden Vorlagen gerecht wird und das in der Form, in der es publiziert worden ist, als unbrauchbar bezeichnet werden muss. Es handelt sich hier um zwei wertvolle Textgestalten, die beide in Masora und Punktation eine lange Geschichte hinter sich gehabt haben. Sie müssen gesondert publiziert und gesondert verhört werden, will man ihnen gerecht werden.

Handschriften, die den Ben Asher-Text aufweisen, habe ich

nachgewiesen und habe auf grund ihrer in der Stuttgarter Bibel den Ben Asher-Text herausgegeben. Dieser Text hat sich durchgesetzt. H. S. Nyberg hat seine Hebreisk Grammatik (Uppsala 1952) auf diesen Text aufgebaut, und Cassuto hatte die Absicht, denselben Ben Asher-Text nach den von mir nachgewiesenen Handschriften in Jerusalem zu veröffentlichen. Vgl. über diese Ausgabe, wie sie nach Cassuto's Tode fertig gestellt ist, meine Bemerkungen in *Vetus Testamentum*, vol. III, p. 416–20 und die Bemerkungen von Sir Leon Simon, *Vetus Testamentum* IV, p. 109/110.

Die Handschriften des babylonischen Textes, die den Herausgebern der Polyglottenbibel einst zur Verfügung standen, sind, wie wir gesehen haben, verloren gegangen. Aber in den letzten Jahrzehnten hat sich auch für diese Textgestalt wieder unfangreiches Material gefunden und eine Ausgabe des babylonischen Bibeltextes, soweit er erhalten ist, muss als dringende Aufgabe der Wissenschaft bezeichnet werden. Mit einem meiner Schüler, Rev. L. Johnston vom Ushaw College bei Durham, habe ich mich an die Bearbeitung dieses Textes gemacht. Meine spanischen Freunde sind entschlossen, ausser einer neuen wesentlich verbesserten Ausgabe des Ben Asher-Textes, auch den masoretischen Bibeltext aus Babylonien in kritischer Ausgabe vorzulegen. Mit dem Druck dieser Ausgabe ist bereits begonnen worden.[1]

[1] Herrn Kollegen Wolfgang Schmidt in Bonn möchte ich herzlich danken für seine Hilfe bei dem Verständnis der lateinischen Texte aus dem 16. Jahrhundert.

WISSENSCHAFT DES JUDENTUMS UND HISTORISMUS BEI ABRAHAM GEIGER

VON H. LIEBESCHÜTZ

Die folgende Skizze versucht einen kleinen Beitrag zur Geschichte des deutschen Judentums im 19. Jahrhundert uz bieten, indem noch einmal wieder die Frage gestellt wird, wie weit die geistige Bewegung jener Tage durch die Umwelt geprägt war und welcher Art die Begrenzung dieses Einflusses gewesen ist. Das Erscheinen von Abraham Geiger in diesem Bande lässt sich schon von seiner Lebensgeschichte her rechtfertigen; gehörte er doch in seinen zwei letzten Jahren (1872–4) zu dem kleinen Lehrerkollegium, mit dem die Berliner Hochschule für die Wissenschaft des Judentums ins Leben trat, die Stätte, an der Leo Baeck von 1913 bis in die Jahre des zweiten Weltkrieges seine wissenschaftliche Lehrkanzel hatte. Vielleicht wichtiger als dieser biographische Zusammenhang ist die Grundüberzeugung, die dem Dasein Geigers, der durch seine ganze Laufbahn hindurch zugleich vielseitig tätiger Gemeinderabbiner und gelehrter Forscher war, die Einheit gegeben hat, sein aufrichtiger und starker Glaube an die Fähigkeit der Wissenschaft das Leben zu formen.

Die Veränderung der gesellschaftlichen Stellung der Judenheit, die sich in Mitteleuropa seit dem späten achtzehnten Jahrhundert mit allmählich wachsender Beschleunigung vollzog, stellte die unabweisliche Frage nach der Stellung des jüdischen Geistes, dessen Mittelalter nun zu seinem Ende gekommen war, in der modernen Welt, die er fertig vorfand, und in deren Mitte er nun, – man möchte fast sagen – plötzlich leben sollte. Für diese Umstellung boten Zeit und Ort keine eigentlich religiös schöpferischen Kräfte dar. Aber die idealistische Philosophie, mit der die klassische Epoche der deutschen Literatur abschloss, hatte eine empiristisch gerichtete Wissenschaft aus sich entlassen, die in ihren Bemühungen um das Verständnis von Mensch und Gesellschaft das Wesen der Religion zum klaren Bewusstsein heben wollte, um so der Harmonie von Erkenntnis und Glauben zu dienen.[1] Geschichtliche Wissenschaft erreichte zu gleicher Zeit technische Meisterschaft in methodischer Strenge und den Beruf als Führer in die Tiefe des Lebens zu dienen. In diesem Sinne wurde sie für Geiger die Grundlage seines Glaubens an die heilende Kraft der Wahrheitserkenntnis für das Judentum seiner Zeit.

I

Geiger hat in einer Tagebuchaufzeichnung seiner Jünglingsjahre die erste Regung historisch-kritischen Denkens in sein elftes Jahr zurückverlegt, in eine Zeit, in der ihn die streng altgläubige Atmosphäre seines Frankfurter Elternhauses noch durchaus beherrschte. Er durfte Beckers Handbuch der Weltgeschichte lesen, aber nur unter der Bedingung, dass er die Kapitel über jüdische Geschichte überschlug. Er gehorchte; aber jene Kapitel der griechisch-römischen Geschichte, in denen die Gesetzgeber Minos, Lykurg und Numa Pompilius ihr Werk durch die Autorität von Jupiter, Apollo und die Nymphe Egeria verstärkten, regten in dem jugendlichen Leser für einen kurzen Augenblick den Gedanken an, dass die Moses zuteil gewordene Offenbarung als ein anderes Beispiel des gleichen Verfahrens verstanden werden könnte.[2]

Von grösserer Bedeutung als dieses Symptom frühreifer Anregbarkeit war eine Beobachtung, die Geiger als Bonner Student niederschrieb, die ihm, wie er berichtet, als Ergebnis dreijährigen Studiums der Grammatik und des Wortschatzes

[1] Über den Einfluss des deutschen Historismus: K. Dockhorn, *Der deutsche Historismus in England* (1950).

[2] Tageb. von 1826, *Nachgel. Schr.* (1878) Bd. V S 7.

der Mischnah gekommen war. Er glaubt feststellen zu können, dass Bibel, Mischnah und Gemara den Geist des Judentums auf drei ganz verschiedenen Stufen repräsentieren, und er charakterisiert seine Ergebnisse für Mischnah und Gemara: Die ältere Kodifikation begnügt sich mit der allgemeinen Feststellung, dass die in ihr enthaltenen Bestimmungen auf den biblischen Text zurückgehen, oder auf dem Wege der mündlichen Tradition von Gottes mündlicher Mitteilung an Moses herstammen. Die Erörterungen des Talmuds konstruieren solche Zusammenhänge in viel bestimmterer Weise, entweder durch mehr oder weniger gewaltsame Auslegung von Bibelstellen oder durch Anrufung dieser und jener Überlieferungsreihe. Der junge Geiger sieht in diesem Wandel der Methode das Anwachsen einer apologetischen Tendenz unter dem Einfluss der durch Tempelzerstörung und den Aufstieg des Christentums veränderten Lage, Umstände, die im Zeitalter der Mischnahlehrer noch nicht wirksam genug gewesen waren, um die überkommene Form des Lehrgutes umzugestalten.[1] Wir sehen, wie der Zwanzigjährige sich hier das Problem stellt, den Wandel der literarischen Denkform mit dem Verlauf des Weltgeschehens in enge Verbindung zu setzen, so wie er es im Bonner Kolleg für das Athen des Aristophanes mit Vergnügen gelernt hatte.[2] Sein Hauptwerk „Urschrift und Übersetzungen der Bibel in ihrer Abhängigkeit von der inneren Entwicklung des Judentums“ von 1857 gibt die gelehrte Ausführung der Idee, die ihm als Studenten gekommen war. Das historische Problem erscheint nun in der Form, dass die abgeschlossene Gestalt des talmudischen Judentums das Ergebnis eines Jahrhunderte währenden Entwicklungsprozesses darstellt, der das biblische Erbe umgestaltet hat,[3] Dass wir über die entscheidende Übergangszeit keine Berichte haben, erklärt Geiger aus einer allgemeinen Tendenz

[1] Tagebuch v. 1830, ebendort S.13. [2] ebendort S.12.
[3] Urschrift (Neudruck von 1926) S.424.

der Völker, die immer Wert darauf legen, die geltenden Normen und Ordnungen aus der Vergangenheit herzuleiten. So hat die talmudische Zeit sich in voller Einheit mit dem biblischen Altertum gesehen. Geiger ist sich bewusst, dass es des historischen Sinnes, wie ihn erst sein eigenes Jahrhundert gebracht hat, bedurfte, um die rechten Zuordnungen von Epoche und geistiger Schöpfung aus der Umformung durch die Überlieferer wieder herzustellen.[1] Bibel und Talmud, Anfang und Ende der Entwicklung, bieten die bekannten Grössen, von denen aus die Zwischenzeit wiedergewonnen werden muss; versprengte Bruchstücke älterer halachischer Überlieferung in der talmudischen Literatur werden zum Gegenstand seiner kritischen Analyse und zum Ausgangspunkt für die Rekonstruktion. Geiger ist bekanntlich zu dem Ergebnis gekommen, dass die treibenden Kräfte jener Entwicklung von Bibel zum Talmud in dem Gegensatz zweier Religionsparteien zu suchen sind, deren unter dem Einfluss der politischen Geschichte sich wandelndes Kräfteverhältnis die Formung der Gesetzestradition bestimmt hat. Indem er Wesen und Lehre dieser zwei Gruppen mit ihrer gesellschaftlichen Stellung verbindend der priesterlichen Aristokratie der Sadducäer die bürgerlichen Pharisäer gegenüberstellt, gibt er seiner Analyse beinah einen soziologischen Charakter. Er scheut dabei die Feststellung nicht, dass die „tiefere Differenz“ zwischen den Parteien nicht eine religiöse sondern von Anfang an eine politische und soziale gewesen sei,[2] wie auch am Ende die Entscheidung in diesem Kampf durch das politische Ereignis der Zerstörung von Jerusalem und das Ende der staatlichen Existenz herbeigeführt worden ist.

Die Sadducäer, welche Verwaltung und Gericht innehatten, bildeten biblische Vorschriften aus, soweit es die dringenden Bedürfnisse des Lebens erforderlich machten, wurzelten doch ihre eigenen Ansprüche im nationalen und religiösen Inter-

[1] S.423 f. [2] S.170.

esse; aber in ihren Bestrebungen war der reine Selbstbehauptungstrieb stärker als die Ehrfurcht vor der Tradition, wie bei jeder Aristokratie, die ohne persönliches Verdienst der Individuen durch Erbfolge weiterbesteht.[1] Sie standen gegen den Aufstieg der breiteren Massen des Volkes zu geistiger Gleichberechtigung. Demgegenüber vertraten die Pharisäer als Demokraten und Vertreter des „gesunden Bürgerstandes" die religiöse Mündigkeit des ganzen Volkes, indem sie priesterliche Heiligkeit für das ganze Volk in Anspruch nahmen. Weil sie die Existenz eines Priesterstandes angesichts der Bibel nicht anzutasten wagten, blieb für sie nichts übrig als das ganze Volk unter jene äusserlichen Gebote der Priesterheiligung zu stellen. Dabei hüteten sie sich, den Grundsatz auszusprechen, dass der Wandel der Zeit solche Umgestaltungen nötig mache und damit legitimiere. Sie bemühten sich alles aus dem Wortlaut der Schrift herauszuholen oder jedenfalls mit alter Überlieferung zu begründen.[2]

Wir deuteten schon auf Geigers Bemerkungen über die Methode, mit der er diese Rekonstruktion der Entwicklung aus den Quellen herausarbeitete. Er sammelte die Stellen der talmudischen Ueberlieferung, die ältere Schichten der Gesetzesauslegung zu representieren scheinen und so noch mehr oder minder starken Einfluss der sadducäischen Denkweise zeigen. Wellhausen in einer seiner Frühschriften hat hierin Geigers wichtigsten Beitrag zur historischen Grundlegung der jüdischen Geschichte gesehen.[3] Für den Autor selbst war die Beobachtung, dass die Geschichte des Bibeltextes und der alten Übersetzungen die Einwirkung jenes historischen Prozesses zeigen, von grösserer Bedeutung. Er war überzeugt von der Möglichkeit des Nachweises, dass die Sadducäer den Zadokiten der Bibel, den Ahnen ihres priesterlichen Standes, durch Textänderungen eine grössere Bedeutung gegeben hät-

[1] S.427 ff.

[2] Sadducäer und Pharisäer S.26 (S.A. von Bd. II der Jüd. Zft. f. Wissenschft u. Leben (1863).

[3] *Pharisäer und Sadducäer* (1874) S.121 f.

ten, um so ihre eigene Stellung in die klassische Zeit zurück zu projizieren. Die siegreichen Pharisäer, deren exegetische Methode mit ihrer künstlichen Verbindung von Bibel und Gegenwart solche Änderungen unnötig machte, haben sich demgegenüber bemüht, den ursprünglichen Wortlaut wiederherzustellen, an manchen Stellen ohne Erfolg, so dass hier der sadducäische Text greifbar bleibt.[1] Es ist deutlich, dass die Idee der Tendenzkritik die zwei Teile der Urschrift, die Quellenanalyse und die Geschichtsrekonstruktion zusammenhält. Bevor wir versuchen, diese Betrachtungsweise Geigers in die Wissenschaftsgeschichte der Jahrhundertmitte einzuordnen, wollen wir uns an die Entstehungsgeschichte des Buches erinnern, wie sie Geiger in einem Brief an Theodor Nöldecke aufgezeichnet hat.[2] Er hatte eigentlich eine Geschichte der Karäer schreiben wollen. Beim Studium ihrer unorthodoxen Lehren fand er heraus, dass sie nur wieder aufnahmen, was die Sadducäer vertreten hatten, so dass bei diesen der eigentliche Ursprung der Bewegung gesucht werden musste. Für das Verständnis der weiteren Entwicklung mussten die Pharisäer in die Untersuchung gebracht werden, gegen deren siegreichen Traditionsbegriff die Karäer rebelliert hatten. Biblische Textkritik und die Scheidung der halachieschen Tradition im Talmud ergaben sich als die Mittel, die verschüttete Geschichte der grossen Parteiung zurückzugewinnen. All dies zeigt, wie sehr der Autor mit dem synthetischen Geist deutscher Wissenschaft in der nachklassischen Periode verbunden ist, in der das Studium eines bestimmten Gegenstandes in allen Einzelheiten zusammengeht mit seiner Einordnung in umfassende Entwicklungsreihen. Aber wir können vielleicht Geigers geistigen Standort noch etwas näher bestimmen. Der Brief soll die Zusammenfassung von Religionsgeschichte und Textkritik in einem Buch durch dessen Entstehungsweise entschuldigen, weil, wie der Verfasser annimmt – und spätere

[1] Urschrift S.432. [2] *N. Schr.* V S.296 (Ausg. 1865).

Kritiker sind ihm darin gefolgt – dadurch die Darstellung unübersichtlich und schwer lesbar geworden ist. Aber gerade in diesem Punkt scheint nicht nur individuelles Forschungsinteresse wirksam gewesen zu sein, sondern ein bewusster oder unbewusster Einfluss von der Fragestellung der historischen Theologie her vorzuliegen, wie sie sich in diesen Jahrzehnten im Protestantismus entwickelte. F. Chr. Baur in Tübingen hatte in den dreissiger Jahren begonnen, das Verständnis der neutestamentlichen Literatur und des neutestamentlichen Zeitalters aus dem Gegensatz der paulinischen Antinomisten und der christlichen Gesetzesverteidiger zu gewinnen; Kritik der Texte, auf Grund der Tendenz, die sie vertraten, und historische Rekonstruktion der Parteibewegung ging Hand in Hand. So wurde die Entstehung der Kirche und ihres Schriftenkanons als Ergebnis des Zusammenpralls zweier gegensätzlich gerichteter Kräfte verstanden. Hegels historische Dialektik mit ihrem Dreitakt von Thesis, Antithesis und Synthesis war in dem konkreten Material, das die Überlieferung bot, eingearbeitet, und gab so der philologischen Analyse der Texte die Fragestellung.[1] Das gilt gleicherweise für den Breslauer Rabbiner wie für den zwanzig Jahre älteren Tübinger Theologieprofessor. Darüber hinaus können wir sagen, dass die eigenartige Verbindung der zwei Hauptthemata im Plan der Urschrift der Fragestellung der Tübinger Schule genau entspricht und dass Geiger schon 1836 eine Verbindung mit den Tübinger Theologieprofessoren erwähnt und in den sechziger Jahren in einer Kritik von D. F. Strauss' Leben Jesu Forschung Ergebnisse der Tübinger historischen Theologie als Argument benutzt.[2]

[1] Selbstdarstellung der Tübinger Schule findet man Hist. Zeitschr. Bd. 4 (1860) S.90/173; siehe besonders S.106; 111; 118, der geistesgeschichtliche Zusammenhang bei E. Troeltsch, *Harnack und Ferd. Chr. Baur* in Festgabe für A. v. Harnack (1921), S.284 ff., 289.

[2] *N. Schr.* V S.89; Anhang zu Judentum und seine Geschichte (Ausgabe 1865), S.165 f. Geigers eigene Formulierung steht in einer Polemik gegen die Vernachlässigung der hebräischen Bibel in der zeitgenössischen christlichen Theologie. Jüd. Ztschr. f. Wissenschaft und Leben II, 232 (1863) „. . . die sogenannte Tübinger Schule hat sich nie an den Arbeiten auf

Auch der ausgesprochen politische Einschlag in Geigers historischer Deutung des Gegensatzes von Sadducäer und Pharisäer, die Einführung der Begriffe aristokratischer Reaktion und bürgerlicher Demokratie in das Entwicklungsschema Hegels, passt wohl zu der Abwandlung der ursprünglich wesentlich konservativen deutschen „Historischen Schule" in der Mitte des Jahrhunderts; die Stimmung, in der sich die Revolution von 1848 im gebildeten Bürgertum vorbereitete, und der kritische Blick auf die Welt, der aus der Enttäuschung nach dem Fehlschlag erwuchs, schärften das Interesse für gesellschaftliche Gegensätze auch in der fernen Vergangenheit. Wenn Geiger egoistische Selbstbehauptung als ein wesentliches Merkmal der aristokratischen Sadducäer herausarbeitete, erinnert diese Vergegenwärtigung der Vergangenheit unmittelbar an den Stil, in dem Theodor Mommsen in dem gleichen Jahrzehnt die Optimaten, die in der späteren Republik den römischen Senat und das Reich beherrschten, als Junkerkaste mit allen Zeichen der zeitgenössischen deutschen Vertreter des Standes, in seiner Geschichte dargestellt hat, eine Folie, gegen die sich der demokratische Volksführer Caesar abhebt.

Aber die Urschrift zeigt auch eine deutliche Begrenzung in Geigers innerer Bereitwilligkeit, den Historismus in die Wissenschaft des Judentums zu übertragen. Max Wiener in seinem bedeutenden Buch *Jüdische Religion im Zeitalter der Emanzipation* (1933), das die Stürme der Zeit um seine volle Wirkung gebracht haben, hat diesen Haltepunkt deutlich bezeichnet. Geiger ist niemals dazu gekommen „die älteste Literatur und Religionsgeschichte Israels" kritisch zu durchdringen, obwohl sich die Arbeit der historischen Theologie des Protestantismus diesen Problemen mit starkem Interesse zu-

---

hebräisch-biblischem Gebiet beteiligt, ja sie hat nicht einmal ein Verständnis für die jüdischen Forschungen, die unabhängig von ihr unternommen, *von selbst in Methode und Ergebnissen ihrem Verfahren auf christlichem Gebiet begegnen.*"

gekehrt hatte.[1] Wir gewinnen aus der „Urschrift" ein Bild der Methoden talmudischen Denkens, wie es sich in den Jahrhunderten der Zwischenzeit entwickelte, aber der Ausgangspunkt, die biblische Periode, ist nur in sehr allgemeinen Umrissen gezeichnet. Eine erste Antwort auf solche Frage hat Geiger selbst manchmal gegeben, so ganz am Ende seines Lebens in einem Brief (Juli 1874) – wieder an Nöldecke – wo er die unfertigen Methoden der biblischen Kritik und besonders die Unsicherheit der Pentateuchanalyse als Grund für seine vorläufige Zurückhaltung anführt, und er spricht die Hoffnung aus, später auf diesem Gebiet noch etwas Förderliches veröffentlichen zu können.[2] Wir werden zu prüfen haben, ob die weitere Übersicht über den Zusammenhang der Denkmotive, die der grössere Abstand den Nachgeborenen gestattet, uns erlauben wird, über Geigers Selbstbeurteilung hinauszukommen. Vorerst wenden wir uns der Frage nach dem geschichtlichen Weltbild Geigers zu. Wie hat er die Entwicklung des Judentums in den Rahmen der allgemeinen Geschichte eingeordnet? Wir brauchen nicht daran zu erinnern, wie wichtig das Problem der Weltgeschichte für den Historismus des neunzehnten Jahrhunderts gewesen ist.

[1] Ebendort S.252 f. M. Wiener's nachgelassener Aufsatz: Abraham Geiger and the Science of Judaism (*Judaism, A Quarterly Journal of Jewish Life and Thought*, Bd. 2 (1953), S.41–8) charakterisiert Geigers theologische Position. Wiener betont Geigers kritisch-historische Stellungnahme im Gegensatz zu philosophischer Problemstellung; ich möchte denken, dass dabei der Einfluss Hegels, durch den für diese Generation Geschichte metaphysische Bedeutung bekam, unterschätzt ist. Geigers Kritik an Graetz' Werk (Jüd. Ztschr. f. Wissenschaft und Leben Bd. IV (1866) S.146, macht diesen Einfluss Hegels auf Geiger sehr deutlich: „Das Werk enthält Geschichten, die lose verbunden sind, aber keine Geschichte. Man gewahrt keine Entwicklung, keine treibende Kraft. Ich will keinen künstlich gemachten Pragmatismus, aber ebensowenig ein ideenloses Treiben; aus der Tiefe einer in bestimmten geistigen Richtungen lebenden Gesamtheit müssen doch die Bewegungen hervorgehen." Vgl. E. Simon, *Ranke und Hegel* (1928).

[2] *N. Schr.* V. S.364. In einer dreissig Jahre älteren Ausführung hatte Geiger die Hoffnung ausgesprochen, dass, wenn „ein wissenschaftliches Bedürfnis die Synagoge durchdringt" deren geistliche Vertreter im Stande sein würden, den Geist der Bibel und der späteren Entwicklung gegen einander abzusetzen. Abgedruckt in G. Kleins Beitrag z. L. Geiger, *Abraham Geigers Leben u. Lebenswerk* S.298.

II

GEIGER musste schon durch sein starkes Interesse an dem Nachweis einer fortbestehenden jüdischen Weltaufgabe zur Universalgeschichte geführt werden, wie sie die Fachhistoriker des Jahrhunderts als regulierende Idee ihrer Arbeit von Herder und Hegel übernommen hatten. Aber an diesem Punkt zeigt sich die Verschiedenheit des Standortes deutlich. Die Anwendung der historischen Denkform auf eine wichtige Epoche der jüdischen Geschichte hatte keine Schwierigkeiten bereitet, aber, wenn es galt, das Ganze der abendländischen Geschichte als den Rahmen des jüdischen Schicksals und der jüdischen Leistung zu umreissen, schieden sich die Wege deutlich. Die Tatsache, dass das Christentum ein wesentliches Element des Erbes bildete, dessen Verständnis sich der Historismus zur Aufgabe gesetzt hatte, erwies sich als von entscheidender Bedeutung. Die Einbeziehung der sichtbaren Kirche in das wandelbare Weltgeschehen konnte für den Protestantismus, in dessen Einflussphäre diese Studien ihren Ursprung hatten, keine Verlegenheit bedeuten, weil diese Betrachtungsweise im Kern schon in der theologischen Zeitkritik der Reformation enthalten war. Wie wichtig aber das kirchliche Element in der europäischen Entwicklung für das Geschichtsbewusstsein des klassischen Historismus gewesen ist, können wir von einer Reminiszenz lernen, die der 85 jährige Ranke den verschwiegenen Seiten seines Tagebuches anvertraute: Es war Neujahr 1881, als der Besuch eines alten Freundes aus der Junkeraristokratie, der von der antisemitischen Agitation des Tages ganz erfüllt war, ihm die Erinnerung an eine Unterhaltung mit jüdischen Studenten wachgerufen hatte, die seinen Vorlesungen eifrig gefolgt waren. Er hatte alle seine ernsthaften Schüler für „historische Christen“ erklärt weil sie auch die Ideen des Mittelalters und der neueren Zeit, die auf dem Christentum beruhten, in sich aufgenommen haben müssten. Sein Argument war ihm nicht bestritten worden, wohl aber hatten die Gesprächspartner die Schwierigkeit hervorgehoben, gewisse Punkte des apostolischen Glaubensbekenntnisses anzunehmen; der Professor hatte, wohl nicht ganz ohne Sympathie, hinter ihren Worten ein tiefes Stammesgefühl gespürt, das sie mit ihrer Religion verband.[1] Für Rankes Geschichtsbild ist es entscheidend, dass die Erfahrung der schöpferischen Bedeutung des Christentums in der Entwicklung des Abendlandes für ihn zusammengeht mit der Forderung an den Historiker, ein letzlich positives Verhältnis zu der religiösen Grundmacht zu bewahren, wenn er das Ganze dieses Prozesses verstehen will. Diese Anschauung, die auch der „Weltgeschichte", dem Werk seines Alters, zu Grunde liegt, war sicherlich bedingt durch die individuelle Entwicklung, die ihn zum Historiker gemacht hatte, während andere Klassiker des Historismus sich im Laufe ihrer Arbeit weiter von den theologischen Antrieben ihrer Jugend entfernt hatten. Jakob Burckhardt in senien *Weltgeschichtlichen Betrachtungen* sah die organisierte Religion und Kultur, das Werk der frei schaffenden Individuen, in zwei verschiedenen Sphären und seine eigentliche Sorge galt den geschichtlichen Voraussetzungen der schöpferischen Einbildungskraft wie die Tradition „Alt-Europa" sie geschaffen hatte. Aber auch solche Auflockerung und Säkularisierung des Geschichtbildes gibt keine einfache Lösung für die Aufgabe einer Weltgeschichte vom Standpunkt des Judentums. Das christliche Mittelalter, die Zeit, in der das Judentum als Ganzes von der Welt ausgeschlossen erschien, bleibt auch für diese Richtung des Historismus ein wesentliches Glied in der Kontinuität der Kulturentwicklung; das gilt sogar für den Burck-

[1] Hist. Zeitsch. Bd. 151 S.332 ff. Weniger liebenswürdig erscheint Rankes Haltung im Jahre 1853, als er den Antrag auf Errichtung einer jüdischen Dozentur für rabbinische Literatur an der Universität mit der Bemerkung zu Fall brachte, dass das von jüdischer Seite sicher gestellte Einkommen gegebenenfalls auch für einen christlichen Dozenten des Faches verwendet werden müsste. Aber Ranke geht hier von den gleichen allgemeinen Voraussetzungen aus wie in dem Gespräch des Tagebuches, wenn er zu der Folgerung kommt, dass der Staat Judaica nicht als Theologie, d.h. normative Wissenschaft lehren könne. Die Geschichte dieses Versuches, eine jüdische akademische Lehrkanzel zu errichten, der ursprünglich von Zunz ausging, steht bei M. Lenz *Gesch. der Univ. Berlin* II 2 S.302 ff.

hardt von 1860, der mit seiner Beschreibung der Renaissance als Ursprung der modernen Welt den Punkt seiner weitesten Entfernung von der romantischen Leidenschaft seiner Jugend für das Mittelalter erreichte, ganz zu schweigen von dem Antimodernismus seiner Spätzeit, die ihn auf die mittlere Zeit mit all ihren Hemmungen und Verzögerungen der Entwicklung wieder mit einem gewissen Heimweh blicken liess: „Was immer lebenswert ist, wurzelt dort."[1]

Wir wenden uns nun wieder zu Geiger, um zu sehen, wie er die Weltgeschichte um die Idee der jüdischen Aufgabe herum aufbaute. Er tat das in drei Vorlesungsreihen, die er, beginnend mit dem biblischen Zeitalter, 1863 in Frankfurt begann und in Berlin 1871 bis zur Reformation herabführte. Seine Hörer sollten lernen, wie das moderne Judentum mit seinen Pflichten und seinen Möglichkeiten in der Geschichte verwurzelt ist; insofern ist der Band *Das Judentum und seine Geschichte* durchaus das Werk des Gemeinderabbiners. Aber dieser populärwissenschaftliche Charakter des Werkes vermindert seinen Wert als Quelle für Geigers Denken nicht; gehört doch, wie wir sahen, der Glaube an die Macht des Wissens im Leben zu den stärksten Antrieben seines Lebenswerkes als Gelehrter und Denker. Die Tendenz dieser Vorträge kann vielleicht in die Formel der Überwindung des Mittelalters zusammengefasst werden, wobei sowohl an das Judentum wie an seine Umwelt gedacht ist. Die Freude über die Befreiung aus den Banden der dunklen Epoche, die Ablehnung jeder Romantik gibt den Grundton. Das Mittelalter ist die eigentlich christliche Epoche von Europa, in der die Völker durch die Kirche kräftig zusammengefasst, aber auch im Geist gebunden sind. Der Einzelne gilt nur als Mitglied seiner Gruppe, deren Gesetze und Gebräuche er ohne Frage und Kritik anzunehmen hat. Es ist die Epoche, in der die Menschen *zurückblicken* auf das Ereignis der Incarnation, in dem die Weltgeschichte ihren eigentlichen Sinn erfüllt hat;

[1] *Werke* Bd. VII S.254.

nur die Erreichung der Anerkennung dieses Tatbestandes blieb noch als Aufgabe übrig. Keine Neuschöpfung war denkbar, das Christentum war der natürliche Feind der Wissenschaft und aller geistigen Werte, die ausserhalb seines Bereiches gewachsen waren. Die Judenheit, die in solcher Welt zerstreut lebte, blieb nicht unbeeinflusst von dieser Denkrichtung. Aus der Herrschaft des traditionellen Elements wuchs der unbedingte Glaube an die Vergangenheit; dabei verlor sich jeder geschichliche Sinn: Talmudische Diskussionen und der Lehrhausbetrieb der eigenen Zeit wurden in die fernste biblische Vergangenheit zurückprojiziert. Doch diese teilweise Anpassung an die Umwelt konnte den tiefen Gegensatz zu den wesentlichen Lehren der herrschenden Religion nicht vermindern und sollte ihn auch gar nicht verbergen. Die dadurch hervorgerufene feindliche Gegenwirkung musste die partikularen Bestandteile des mittelalterlichen Judentums, seinen Rückzug in die Absonderung und Fremdartigkeit verstärken.[1]

Seit dem 13. Jahrhundert setzt in der Kirche eine Abwehrbewegung gegen die Herrschaft der Kirche ein; langsam beginnt der Werdeprozess der modernen Welt; das Christentum selber hat keinen positiven Zusammenhang mit diesem Wachstum einer neuen Welt und ihrer Bildung: „Das Christentum ist nicht modern, und die Moderne ist nicht christlich."[2] Dieser Auszug aus dem Mittelalter ist dann über Humanismus und Reformation allmählich zu dem Umbruch von 1789 und zur Gegenwart weitergegangen. Für seine eigene Zeit nacht Geiger das Beispiel des Staates geltend, der eben siegreich die Einigung Deutschlands zustande gebracht hat, eben weil er von jeder romantischen Bindung an die Vergangenheit frei voll den Aufgaben der Gegenwart zugewandt ist. Im Bereich der Religion kann das Judentum jedenfalls solche endgültige Absage an das Mittelalter vollziehen, denn im Gegensatz zu anderen re-

[1] Neudruck 1910 S.122; 143; 181; 184; 326; 378.

[2] Antikritik gegen H. J. Holtzmann im Anhang z, ersten Ausgabe der *Vorlesungen* (1863) II S.185; 188.

ligiösen Gemeinschaften gehören seine Wurzeln nicht dem Mittelalter an.[1] Mit dieser Wendung erreichen wir das Ziel, auf das hin Geigers Geschichtsepochen konstruiert sind. Das jüdische Volk hat in seiner klassischen Zeit die schöpferischen Menschen der Bibel hervorgebracht, deren Geist die rationale Gotteslehre des ethischen Monotheismus entdeckte, und so die Epoche der Offenbarung darstellt. In der folgenden Periode der Tradition haben die Pharisäer die religiöse Gleichheit in der Gemeinde durch die Idee des allgemeinen Priestertums zur Geltung gebracht. Nach dieser Epoche der Religions-schöpfung eines im eigenen Lande sesshaften Volkstums kam die Zeit des Hinausgehens in die Welt im Mittelalter. Es war eine Periode der Bewährung des wesenhaften Erbes, das erhalten, aber unter dem Druck der Umwelt mehr von einer letztlich wesensfremden und unlebendigen Tradition überdeckt wurde. Die moderne Zeit, die Schritt für Schritt dem Judentume freiere Bewegung in der Welt gewährt, muss auch zu innerer Befreiung der wesentlich jüdischen Werte führen, die in Harmonie sind mit den tiefsten Tendenzen des modernen Geistes. In dieser Zielsetzung steckt das politische Wollen des gemässigten Liberalen, der für den Mittelweg kämpft, auf dem Ordnung und Freiheit zusammengehen, und zugleich das Programm des Reformtheologen, der durch wahre Bildung die geistige Enge des blossen „Handelsvolkes“ überwinden will, und so das Judentum reif für die neue Gesellschaft zu machen hofft. Die Rückkehr zu der klassischen Religion der besten Zeiten des Judentums soll die feste Grundlage für die Synthese mit dem freieren geistigen Streben der Moderne schaffen, das Geiger, trotz aller politischen Schwierigkeiten, die er nicht übersieht, besonders in Deutschland als befreiende Kraft zu spüren glaubt.[2] Das Judentum ist für Geiger eine höhere Lebensmacht, die während der Jahrhunderte des Mittelalters in gesundem Gegensatz zu

[1] *Vorlesungen* (1910) S.537.

[2] *N. Schr.* V S.25; 36; 39 (Tagebuch von 1830 f.) S.85 (Brief v. 1835); *Vorlesungen* (1910) S.387.

den Mächten stand, welche damals das geistige Leben der Menschheit beherrschten, und die daher im 19. Jahrhundert ihren Lebenstag haben wird.[1]

Es ist sehr deutlich, dass der zu Grunde liegende Religionsbegriff der Naturreligion der Aufklärungszeit sehr nahe steht. Er ist nicht eigentlich eine historische Grösse sondern eine im Grunde zeitlose Norm, ein rationales Programm für politische und synagogale Reform. Hier liegt eine unverkennbare Schranke zwischen Geiger und allen Formen des Historismus. Weil die prophetische Religion der Bibel für ihn als Ganzes zeitlose, rationale Wahrheit war, war er im Tiefsten nicht interessiert an der Aufdeckung der nationalen und weltpolitischen Umstände, die zu ihrer Entstehung geführt haben. Und dies führt uns einen Schritt weiter. Für die historische Schule erwächst die Moderne aus den Wurzeln des Mittelalters, für Geiger entsteht sie eigentlich aus dem Nichts. Wenn er von der beginnenden Freiheitsbewegung im 13. Jahrhundert gegen die Hierarchie handelt und, wie wir sahen, die Möglichkeit verneint, dass das Christentum diese Gegenkräfte aus sich entlassen habe, deutet er an, dass möglicherweise ein gewisser Einfluss durch die Existenz des Judentums ausgeübt worden sein könnte, vergleichbar vielleicht mit der Beziehung, die Humanismus und Renaissance über die spätmittelalterlichen Bibelkommentare und Reuchlin mit Rabbinismus und Kabbala gehabt haben.[2] Aber Geiger ist ein viel zu nüchterner, gewissenhafter Forscher, als dass er auf solche Vermutung einer Seitenlinie in der Entwicklung eine Geschichtskonstruktion gebaut hätte. Andererseits spielt der germanische Faktor der mittelalterlichen Entwicklung in Geigers Epochenlehre gar keine Rolle; das Griechentum steht als ein blosser Name da. So bleibt die Moderne in Geigers Geschichtsbild ohne Ursprung; sie ist fast ebenso zeitlos rational gesehen wie der prophetische Monotheismus. Beide Begriffsgruppen hatten für ihn eine zu

[1] *Vorl.* S.370 f. [2] S.504; 519 f.

grosse Aktualität, als dass sie sich ihm der Abstände setzenden Denkform des Historismus gefügt hätten, die er auf innerjüdische Wandlungen, zu denen er etwas grössere Distanz hielt, mit solchem Erfolg anwandte.

Dahinter liegt, gesehen von dem Standpunkt der Späteren, die Schwierigkeit, das Judentum in ein Bild der abendländischen Kulturgeschichte einzufügen. Der Westen hat die biblische Grundlage des Judentums übernommen, aber aus ihr das „Alte Testament" gemacht, was eine nicht gleichgültige Umwandlung bedeutet; die nachbiblische Synagoge hat der christlichen Welt die Idee ihres Gottesdienstes gegeben, aber das *Ganze des Judentums*, wie es sich seit der pharisäischen Bewegung ausgeprägt hat, steht *neben* der werdenden Welt und ist kein Grundelement des grossen Geschichtsprozesses geworden. Das jüdische Volk im Westen hat für viele Jahrhunderte sein eigenes Dasein *neben* der Umwelt gehabt, bald im loseren, bald im engeren Kontakt von Mitarbeit, Druck und Abwehr. Geigers Interesse, sein „Wir" ist ganz auf der jüdischen Seite. Die Kontinuität, in der sich das Erbe Europas konstituiert, ist nicht wirklich sein Problem; aber er ist fest davon überzeugt, dass der Wesenskern im Jüdischen und im Europäischen der gleiche ist oder jedenfalls der gleiche werden soll in Erfüllung einer *überzeitlichen* Ordnung. Darum sieht er die klaffenden Lücken nicht, die seine Konstruktion offen lässt.

III

Und doch werden wir weder Geiger noch dem sachlichen Problem des Verhältnisses von Wissenschaft des Judentums und Historismus gerecht weden, wenn wir die Grenzen seines eigentlich kritischen Interesses allein auf den Standort des grossen Reformrabbiners zurückführen wollten. Geigers wissenschaftliche Bedeutung bleibt freilich auf jeden Fall unangetastet. Diese Pionierleistung, das Ergebnis eines Lebens, das übervoll war von praktischer Gemeindearbeit, erscheint im

Jahre 1953 vielleicht noch eindrucksvoller als in seiner eigenen Zeit. Aber für uns bleibt noch die Frage, ob der Abstand zwischen jüdischer Wissenschaft und Historismus etwas über den Charakter des Judentums aussagt.[1] In dieser Absicht verfolgen wir die weitere Geschichte des Problems in gedrängter Übersicht. Der starke geistige Antrieb, der die Spätzeit des deutschen Judentums kennzeichnete, hat im Ganzen eine mehr systematische Absicht als die philologisch-historische Wissenschaft des neunzehnten Jahrhunderts aufweisen konnte.[2] Aber diese herrschende Stellung der Philosophie, die natürlich bei Hermann Cohen, der recht eigentlich die neue Epoche einleitet, am ausgesprochensten ist, hat nicht einmal bei ihm und noch weniger bei den führenden Geistern der nachfolgenden Generation, bei Leo Baeck, Martin Buber und Franz Rosenzweig, das Problem der Geschichte bei Seite drängen können. Die Bedeutung, die damals das nationale Element auch für das Denken der westlichen Juden durch Weltpolitik und geistige Entwicklung zurückgewann, hat diese neue Periode jüdischer Wissenschaft nachdrücklich beeinflusst. Dass die Einwirkung der Umwelt dabei keinesfalls ausgeschaltet wurde, steht damit nicht im Widerspruch. Im Jahre 1900 liess Adolf Harnack, der Führer der protestantischen historischen Theologie, seine Vorlesungsreihe über das Wesen des Christentums im Druck erscheinen. Er wollte zeigen, dass die Einbeziehung von Kirche und Dogma in den Prozess des geschichtlichen Werdens, den absoluten Wert der christlichen Idee hinter diesen Erscheinungen nicht beeinträchtige. Dabei benutzte er in paulinisch-lutherischer Tradition das pharisäische Judentum als Folie für das Evangelium.[3] Leo Baeck antwortete mit seinem „Wesen des Judentums." Er folgte dem Gegner nicht in seiner Darstel-

[1] Eine interessante Abgrenzung des Jüdischen in der Wissenschaft in einem Brief Geigers an Nöldecke (Dez. 1885) *N. Schrift.* V. S.302.

[2] Damit ist natürlich nicht gesagt, dass die ältere philologische Richtung nicht in dieser Zeit noch bedeutende Vertreter gehabt hat wie Ismar Elbogen an der Berliner Hochschule.

[3] Zu Harnacks Buch vergl. E. Troeltsch in *Ges. Schr.* Bd. 2 S.423 ff.

lungsform, in der er seinen Gegenstand im Rahmen der aufsteigenden Entwicklung der Menschheit behandelt hatte. Das Judentum wird hier und in Baecks folgenden Studien bei allem Interesse für die geschichtlichen Abwandlungen im wesentlichen als ein Ganzes gesehen, als klassische Religion gegenüber dem für die romantische Denkform urbildlichen Christentum. Diese Weiterentwicklung des religiösen Gesprächs ist vielleicht nicht ohne Einfluss der philosophischen Typenlehre Diltheys vor sich gegangen; aber stärker ist die Auswirkung des Gegenstandes selbst, die Spannung zwischen Judentum und Historismus. Damit erreichen wir wohl die eigentliche Wurzel der Schwierigkeiten, die Geigers Geschichtsbild anhafteten. Franz Rosenzweig hat darüber am nachdrücklichsten gesprochen, wenn er in einem Vortrag über Epochen der jüdischen Geschichte sagt: Die Macht der Geschichte ist gebrochen, wo ihr das Mittel dieser Machtausübung, eben die Epoche, aus den Händen genommen wurde, und eben das tut der Talmud, der sich selbst an die Stelle setzt, die sonst das Jahr 70 in der Geschichte des Volkes eingenommen hatte. „Ein Volk-aber es ist frei von der Gewalt, der alle Völker sonst unterstehen, der Gewalt der Zeit; als einziges unter den Völkern, unter den Völkern ein einziges.“[1]

Ich möchte denken, dass im letzten Grund auch hinter Geigers Rationalismus, hinter seiner Scheu, die Bibel so historisch und soziologisch zu verstehen, wie er es mit dem Pharisäismus getan hatte, das Gewicht dieser jüdischen Selbstbeurteilung steht. Die Probleme, die für die Interpretation des Judentums in der modernen Welt so entstehen, sind noch ungelöst, und die Enthaltsamkeit gegenüber gewissen Fragestellungen wird uns nicht weiter helfen. Vielleicht ist heute das Zeitalter der historischen Theologie vorüber, in dem die geschichtliche Fragestellung die lebendigste Annäherung zur

[1] *Kleinere Schriften* S.19.

Bibel bot, das die Denkmittel der Epoche erlaubten.[1] Aber, was im Protestantismus in Antwort auf die radikale Säkularisierung des menschlichen Lebens darauf gefolgt ist, ist von paulinischen Motiven bestimmt, die sehr weit vom Judentum fortführen. Wir können nur hoffen, dass in der Diaspora oder in Israel wieder aufgenommen wird, was das deutsche Judentum von Zunz und Geiger zu Baeck und Rosenzweig mit der Ergründung des jüdischen Geistes angefangen hat.[2]

[1] Herm. Cohen hat das sehr stark empfunden, als er die Interpretation der Prophetie durch Wellhausens Schule in sein Denkbild des Judentums übernahm; aber sie wurde umgeformt zum klassischen Beispiel der Überwindung des Mythos in der Religion, ein Stück im System. C. hat niemals daran gedacht nun Geigers Entwicklungslinie von der Bibel zum Talmud auszufüllen.

[2] Rosenzweig hat in einer in mancher Hinsicht prophetischen Äusserung über die Entwicklung des jüdischen Volkstums dem Galuth eine solche Aufgabe zugewiesen. *Kleine Schr.* S.27.

Es beschämt mich, dass ich als Beitrag für die Festschrift zum 80. Geburstag Rabbi Leo Baecks im Augenblick nichts Besseres, Würdigeres anzubieten habe, als diese dürftigen Fragmente. Möge der Gefeierte, den auch ich als grossen Menschen, als Weisen, als Kämpfer für das Gute aufrichtig verehre, meine Darbringung als bescheidenes Zeichen eben dieser Verehrung freundlich annehmen!

THOMAS MANN

Rom, den 27. April 1953.

Aus HUMANIORA UND HUMANISMUS

Vortrag gehalten in der öffentlichen Sitzung des
„Comité permanent des lettres et des arts“
des Völkerbundes in Budapest
im Jahre 1936

. . . Wirklich glaube ich, dass gerade in den letzten Jahrzehnten, unter dem Druck der Wirren und Leiden, die sie mit sich brachten, und aus der Aufgewühltheit durch sie, ein neues, unmittelbares und inständiges Interesse am Menschen und seinem Los, seiner Stellung im All, seiner Herkunft und Bestimmung entstanden ist, ein humanes Interesse von neuer Färbung und Stimmung, das heute überall in den besten, der Zukunft verbundensten Herzen und Geistern lebt und tätig ist, und das ich für den Nährboden eines kommenden Humanismus halte, eines vertieften Gefühls für das Geheimnis des Menschen und seine Würde. . .

Aus LOB DER VERGÄNGLICHKEIT

S. Fischer Verlag 1952/3

. . . Es gibt Himmelskörper, deren Materie von so unglaublicher Dichtigkeit ist, dass ein Kubikzoll davon bei uns zwanzig Zentner wiegen würde. So ist es mit der Zeit schöpferischer Menschen: sie ist von anderer Struktur, anderer Dichtigkeit, anderer Ergiebigkeit als die locker gewobene und leicht verrinnende der Mehrzahl, und verwundert darüber, welches Mass an Leistung in der Zeit unterzubringen ist, fragt wohl der Mann der Mehrzahl: „Wann machst Du das alles nur?“

*

Die Beseeltheit des Seins von Vergänglichkeit gelangt im Menschen zu ihrer Vollendung. Nicht, dass er allein Seele hätte. Alles hat Seele. Aber die seine ist die wachste in ihrem Wissen um die Auswechselbarkeit der Begriffe „Sein“ und „Vergänglichkeit“ und um die grosse Gabe der Zeit. Ihm ist gegeben, die Zeit zu heiligen, einen Acker, zu treulichster Bestellung auffordernd, in ihr zu sehen, sie als Raum der Tätigkeit, des rastlosen Strebens, der Selbstvervollkommnung, des Fortschreitens zu seinen höchsten Möglichkeiten zu begreifen und mit ihrer Hilfe dem Vergänglichen das Umvergängliche abzuringen.

*

Die Astronomie, eine grosse Wissenschaft, hat uns gelehrt, die Erde als ein im Riesengetümmel des Kosmos höchst unbedeutendes, selbst noch in ihrer eigenen Milchstrasse ganz peripher sich umtreibendes Winkelsternchen zu betrachten. Das ist wissenschaftlich unzweifelhaft richtig, und doch bezweifele ich, dass in dieser Richtigkeit die Wahrheit sich erschöpft. In tiefster Seele glaube ich – und halte diessen Glauben für jede Menschenseele natürlich – dass dieser Erde im Allsein zentrale Bedeutung zukommt. In tiefster Seele hege ich die Vermutung, dass es bei jenem „Es werde“, das aus dem Nichts den Kosmos hervorrief, und bei der Zeugung des Lebens aus dem anorganischen Sein auf den Menschen abgesehen war und dass mit ihm ein grosser Versuch angestellt ist, dessen Misslingen durch Menschenschuld dem Misslingen der Schöpfung selbst, ihrer Widerlegung gleichkäme.

Möge es so sein oder nicht so sein – es wäre gut, wenn der Mensch sich benähme, als wäre es so.

THE PHILOSOPHER IN SOCIETY[1]

BY JACQUES MARITAIN

I

A PHILOSOPHER is a man in search of wisdom. Wisdom does not indeed seem to be an exceedingly wide-spread commodity; there has never been over-production in this field. The greater the scarcity of what the philosopher is supposed to be concerned with, the more we feel inclined to think that society needs the philosopher badly.

Unfortunately there is no such thing as *the* philosopher; this dignified abstraction exists only in our minds. There are philosophers; and philosophers, as soon as they philosophize, are, or seem to be, in disagreement on everything, even on the first principles of philosophy. Each one goes his own way. They question every matter of common assent, and their answers are conflicting. What can be expected of them for the good of society?

Moreover the greatness of a philosopher and the truth of his philosophy appear to be independent values. Great philosophers may happen to be wrong. Historians bestow the honour of having been the 'fathers of the modern world' upon two men, the first of whom was a great dreamer and a poor philosopher: namely Jean-Jacques Rousseau; the second a poor dreamer and a great philosopher: namely Hegel. And Hegel has involved the modern world in still more far-reaching and still more deadly errors than Rousseau did.

At least this very fact makes manifest to us the power and importance of philosophers, for good and for evil. (Aesop, if I

[1] My contribution to this *Festschrift* does not mean that I share in all Dr Baeck's theological views. I am happy to have it printed as a tribute of personal respect and appreciation for him, and as a token of my love for Israel. – J.M.

remember correctly, said as much of that valuable organ – the tongue.) If bad philosophy is a plague for society, what a blessing good philosophy must be for it! Let us not forget, moreover, that if Hegel was the father of the world of today in so far as it denies the superiority of the human person and the transcendence of God, and kneels before history, St Augustine was the father of Christian Western civilization, in which the world of today, despite all threats and failures, still participates.

2. To look at things in a more analytical way, let us say that in actual existence society cannot do without philosophers. Even when they are wrong, philosophers are a kind of mirror, on the heights of intelligence, of the deepest trends which are obscurely at play in the human mind at each epoch of history (the greater they are, the more actively and powerfully radiant the mirror is). Now, since we are thinking beings, such mirrors are indispensable to us. After all, it is better for human society to have Hegelian errors with Hegel than to have Hegelian errors without Hegel, I mean hidden and diffuse errors rampant throughout the social body, which are Hegelian in type but anonymous and unrecognizable. A great philosopher who is wrong is like a beacon on the reefs, which says to seamen: steer clear of me; he enables men (at least those who have not been seduced by him) to *identify* the errors from which they suffer, and to become clearly aware of them, and to struggle against them. And this is an essential need of society, in so far as society is not merely animal society, but society made up of persons endowed with intelligence and freedom.

And even if philosophers are hopelessly divided among themselves in their search for a superior and all-pervading truth, at least they seek this truth; and their very controversies, constantly renewed, are a sign of the necessity for such a search. These controversies do not witness to the illusory or unattainable character of the subject that philosophers are looking for. They witness to the fact that this object is both most difficult and most crucial in importance: is not everything which is crucial in importance crucial also in difficulty? Plato told us that beautiful things are difficult, and that we should not avoid beautiful dangers. Mankind would be in jeopardy, and soon in despair, if it shunned the beautiful dangers of intelligence and reason. Moreover many things are questionable and over-simplified in the commonplace insistence on the insuperable disagreements which divide philosophers. These disagreements do indeed exist. But in one sense there is more continuity and stability in philosophy than in science. For a new scientific theory completely changes the very manner in which the former ones posed the question. Whereas philosophical problems remain always the same, in one form or another; nay, more, basic philosophical ideas, once they have been discovered, become permanent acquisitions in the philosophical heritage. They are used in various, even opposite ways: they are still there. And finally philosophers quarrel so violently because each one has seen some truth which, more often than not, has dazzled his eyes, and which he may conceptualize in an insane manner, but of which his fellow philosophers must also be aware, each in his own perspective.

II

3. At this point we come to the essential consideration: what is the use of philosophy? Philosophy, taken in itself, is above utility. And for this very reason philosophy is of the utmost necessity for men. It reminds them of the supreme utility of those things which do not deal with means, but with ends. For men do not live only by bread, vitamins, and technological discoveries. They live by values and realities which are above time, and are worth being known for their own sake; they feed on that

invisible food which sustains the life of the spirit, and which makes them aware, not of such or such means at the service of their life, but of their very reasons for living – and suffering, and hoping.

The philosopher in society witnesses to the supreme dignity of thought; he points to what is eternal in man, and stimulates our thirst for pure knowledge and disinterested knowledge, for knowledge of those fundamentals – about the nature of things and the nature of the mind, and man himself, and God – which are superior to, and independent of, anything we can make or produce or create – and to which all our practice is appendent, because we think before acting and nothing can limit the range of thinking: our practical decisions depend on the stand we take on the ultimate questions that human thought is able to ask. That is why philosophical systems, which are directed to no practical use and application, have, as I remarked at the beginning, such an impact on human history.

The advocates of dialectical materialism claim that philosophy does not have to contemplate, but to transform the world: because philosophy is essentially *praxis*, an instrument for action, power exercised on things. This is but a return to the old magical confusion between knowledge and power, a perfect disregard of the function of thought, and the very root of the huge effort to enslave human minds which is being made by the totalitarian state. Philosophy is essentially disinterested activity for the sake of truth, not utilitarian activity for the sake of power over things. And that is why we need it. If philosoph is one of the forces which contribute to the movement of history and the changes that occur in the world, it is because philosophy, in its primary task, which is the metaphysical penetration of being, is only intent on discerning and contemplating what is the truth of certain matters which have importance in themselves, independently of what happens in the world, and which, precisely for that reason, exert an essential influence on the world.

4. Two aspects of the function of the philosopher in society have, it seems to me, special significance today. They have to do with Truth and Freedom.

The great danger which threatens modern societies is a weakening of the sense of truth. On the one hand men become so accustomed to thinking in terms of stimuli and responses, and adjustment to environment, on the other hand they are so bewildered by the manner in which the political techniques of advertising and propaganda use the words of the language, that they are tempted finally to give up any interest in truth: only practical results, or sheer material verification of facts and figures, matter for them, without internal adherence to any truth really grasped. And we see how, behind the Iron Curtain, scientific truth, be it a question of biology or linguistics, and even the inner truth of a man's conscience and convictions, are made subservient to the sweet will of the state, which bends and changes them as it pleases. The philosopher who in pursuing his speculative task pays no attention to the interests of men, or of the social group, or of the state, reminds society of the absolute and unbending character of Truth.

As to Freedom, he reminds society that freedom is the very condition for the exercise of thought. And this is a requirement of the common good itself of human society, which disintegrates as soon as fear, superseding inner conviction, imposes any kind of shibboleth upon human minds. Well, the philosopher, even when he is wrong, at least freely criticizes many things his fellow men are attached to. Socrates bore witness to this function of criticism, which is inherent in philosophy. Even though society showed its gratitude to him in quite a peculiar way, he remains the great example of the philosopher in society.

It is not without reason that Napoleon loathed *ideologues*, and that dictators, as a rule, hate philosophers.

III

5. I have spoken above all of speculative or theoretical philosophy, the chief part of which is metaphysics. The name of Socrates calls forth another kind of philosophy, namely moral or practical philosophy.

Here the need of society for philosophy, and for sound philosophy, appears in a more immediate and striking manner.

It has often been observed that science provides us with means – more and more powerful, more and more wondrous means. Now these means can be used either for good or for evil. This depends on the ends to which they are used. And the determination of the true and genuine ends of human life is not within the province of science. It is within the province of wisdom. In other words, it is within the province of philosophy – and, to tell the truth, not of philosophical wisdom alone, but also of God-given wisdom. Society needs philosophers in this connection. It needs saints more.

On the other hand the human sciences – psychology, sociology, anthropology – afford us invaluable and ever-growing material dealing with the behaviour of individual and collective man and with the basic components of human life and civilization. This is an immense help in our effort to penetrate the world of man. But all this material and this immense treasure of facts would be of no avail if it were not interpreted, so as to enlighten us on *what man is*. And it is up to the philosopher to undertake this task of interpretation.

My point is that society is in special need of this sort of work. For merely material *information*, or any kind of Kinsey report, on human mores, is rather of a nature to shatter the root beliefs of any given society, as long as it is not accompanied by genuine knowledge of man, which depends, in the last analysis, on wisdom and philosophy. Only philosophical knowledge of man enables us, for instance, to distinguish between what is in conformity with man's nature and reason and what men happen to do in actual fact, even in the majority of cases; in other words, to distinguish between modes of behaviour which are really *normal* and modes of behaviour which are statistically frequent.

6. Finally, when it comes to moral values and moral standards, the consideration of our present world authorizes us to make the following remark: it is a great misfortune that a civilization should suffer from a cleavage between the ideal which constitutes its reason for living and acting, and for which it continues to fight, and the inner cast of mind which exists in people, and which implies in reality doubt and mental insecurity about this same ideal. As a matter of fact, the common psyche of a society or a civilization, the memory of past experiences, family and community traditions, and the sort of emotional temperament, or vegetative structure of feeling, which have been thus engendered, may maintain in the practical conduct of men a deep-seated devotion to standards and values in which their intellect has ceased to believe. Under such circumstances they are even prepared to die, if necessary, for refusing to commit some unethical action or for defending justice or freedom, but they are at a loss to find any rational justification for the notions of justice, freedom, ethical behaviour; these things no longer have for their minds any objective and unconditional value, perhaps any meaning. Such a situation is possible; it cannot last. A time will come when people will give up in practical existence those values about which they no longer have any intellectual conviction. Hence we realize how necessary the function of a sound moral philosophy is in human society. It has to give, or to give back, to society intellectual faith in the value of its ideals.

These remarks apply to democratic society in a particularly

cogent way, because the foundations of a society of free men are essentially moral. There are a certain number of moral tenets – about the dignity of the human person, human rights, human equality, freedom, law, mutual respect and tolerance, the unity of mankind and the ideal of peace among men – on which democracy presupposes common consent; without a general, firm, and reasoned-out conviction concerning such tenets, democracy cannot survive. It is not the job of scientists, experts, specialists, and technicians, it is the job of philosophers to look for the rational justification and elucidation of the democratic charter. In this sense it is not irrelevant to say that the philosopher plays in society, as to principles, as important a part as the statesman as to practical government. Both may be great destroyers if they are mistaken. Both may be genuine servants of the common good, if they are on the right track. Nothing is more immediately necessary for our times than a sound political philosophy.

7. I would fail in my own convictions if I did not add that – given on the one hand the state of confusion and division in which the modern mind finds itself, on the other hand the fact that the deepest incentive of democratic thought is, as Henri Bergson observed, a repercussion of the Gospel's inspiration in the temporal order – philosophy, especially moral and political philosophy, can perform its normal function in our modern society, especially as regards the need of democratic society for a genuine rational establishment of its common basic tenets, only if it keeps vital continuity with the spirit of the Judaeo-Christian tradition and with the wisdom of the Gospel: in other words, if it is a work and effort of human reason intent on the most exacting requirements of philosophical method and principles, equipped with all the weapons and information of contemporary science, and guided by the light of the supreme truths of which Christian faith makes us aware.

I know that the notion of Christian philosophy is quite controversial, and rather complicated. I have no intention of discussing the problem here. I should like only to point out that we cannot help posing it. As for myself, the more I think of the relationship between philosophy and theology in the course of history, the more I feel that in concrete existence this problem is solved in a sense favourable to the notion of Christian philosophy.

8. A last point should be touched upon, about which I would like only to submit a few indications. It has to do with the attitude of the philosopher in respect to human, social, political affairs.

Of course a philosopher can put aside his philosophical studies in order to become a political man.

But what about the philosopher who remains simply a philosopher, and acts only in his capacity as a philosopher?

On the one hand, we can safely assume that he lacks the experience, information, and competence which are proper to the man of action: thus it would be a misfortune for him to endeavour to legislate on social or political matters in the name of pure logic, as Plato did.

But on the other hand, the philosopher cannot, especially in our times, enclose himself in an ivory tower; he cannot help being concerned with human affairs – in the name of philosophy itself and by reason of the very values that philosophy has to defend and maintain. He has to *give testimony* to these values, each time they are challenged, as at the time of Hitler when race-mad theories sought to provoke the mass murder of Jews, or today in the face of the threat of enslavement by Communist totalitarianism. The philosopher must give testimony by speaking his mind, and telling the truth as he sees it. This may have an impact on political matters; it is not, of itself, political action – it is simply applied philosophy.

Yet the border-line is difficult to draw. This means that nobody, not even philosophers, can escape taking risks, when justice or love are at stake, and when one is confronted with the stern requirement of the Gospel: 'These ye ought to have done, and not to have left the other undone.'[1]

[1] Matthew, xxiii, 23.

THE UNIVERSALISM OF AMOS

BY JULIAN MORGENSTERN

Was Amos a universalist? Did he conceive of Yahweh, the God of Israel, as the one, universal God, the world-God? Did he think of Him as the sole Creator of the universe and of all living creatures therein? Did he envisage Him as the eternal God, the God of time, of history, and of human destiny? Did he regard all mankind, the creature of this one, universal Creator, as one, as a unit, divided into sub-units perhaps, peoples and nations, but constituting in itself and all together the supreme, all-inclusive, ultimate unit? Did he behold Yahweh-God as the constant, eternal Controller and Administrator of this universe, which He alone has fashioned, and as guiding its destinies and the destinies of the nations and peoples within it in accordance with an all-wise, all-good, universal plan, and guiding it also towards a divinely purposed goal? All this is implicit in the full definition of universalism. All this was present in the thought and message of Deutero-Isaiah some two centuries later than Amos. But was it present *already* in the thought and message of Amos at the middle of the eighth century B.C.? In other words, was Amos a true and complete universalist?

The majority of modern, authoritative Biblical scholars seem to affirm, either by direct and positive statement or else by implication, that Amos was indeed a universalist or an ethical monotheist, by which term they mean apparently much the same thing as a universalist.[1] Some even assert that Amos was the very first universalist in the history of the religion of Israel and the first true proponent of ethical monotheism or universalism in all the world's history.

[1] So Kuenen, Smend, Wellhausen, Stade, Nowack, Meinhold, Bewer, Lods.

Buttenwieser[1] maintains that Amos regarded Yahweh as 'a universal God, who controls the destinies of all men, and to whom all the world must do homage.

'This universal God . . . is for Amos, as, in fact, for all the prophets, a God of eternal righteousness, a supreme moral being, whose will it is that right and justice shall triumph throughout the world, and who, accordingly, punishes sin and injustice wherever he finds it, without regard to who is responsible for it, or who suffers by it.'

Sellin[2] agrees that Amos was an ethical monotheist, but hardly the originator of ethical monotheism in either Israelite or world-religion. He holds that ethical monotheism was implicit in the religious belief and practice of Israel long before Amos, already in the time of David and Nathan, or even in the teaching and legislation of Moses. What Amos did was to formulate this ethical monotheism concretely and express it decisively in its true implications.[3]

Marti[4] looks upon Amos as the actual founder of prophetic, ethical monotheism in the religion of Israel. This Israelite, prophetic, ethical monotheism differed essentially from the purely speculative monotheism of Egypt and Babylonia. It was rooted in the life of the people of Israel and in its habit of thought, and it found concrete expression in the relation of the people to God. This prophetic monotheism, basically ethical in character, permitted no other gods along with Yahweh. He viewed jealously any deviation anywhere from the honouring of Himself as the one, sole God of the world, and as such He directed the destinies of mankind. Of this prophetic, ethical monotheism Amos was the founder, the first advocate.

Actually, practically all these scholars seem to reach their

[1] *The Prophets of Israel*, 307.

[2] *Kommentar zum Alten Testament*, XII; *Das Zwölfprophetenbuch*, 151 f.

[3] So also in large measure and even earlier Orelli, *Die zwölf kleinen Propheten*,[3] 63 (in Strack und Zöckler, *Kurzgefasster Kommentar zu den heiligen Schriften Alten und Neuen Testaments*).

[4] *Kurzer Hand-Commentar zum Alten Testament; Das Dodekapropheton*, 149.

conclusion, not through careful weighing of all the evidence, but rather as the result of a preconceived hypothesis, of a leap more or less in the dark, and largely, so it seems, as the result of an eagerness to magnify the significance of Amos in the history of the religion of Israel and of mankind.

Harper[1] has apparently, of all modern scholars, considered the question most objectively and realistically, and accordingly has reached conclusions more restrained and reasonable. Following Cheyne,[2] he holds that the ethical monotheism of Amos was such, not in an absolute but rather in a practical, sense, 'to all intents and purposes'. Nowhere does Amos deny the existence of gods other than Yahweh, but he does imply clearly that He is superior to the gods of the Aramaeans and Philistines, since He brought these nations, in total disregard of the power and purposes of their own, native gods, from their original home-lands and settled them in their new places of abode. Moreover, He controls and directs all nature. In this sense Yahweh is the God of the entire world, and His power and authority extend over all nations. But actually He sustains a peculiar relationship with Israel and has personal intercourse only with Israel; and that too as a nation. He could have taken any other nation as His people; but actually Israel was the one nation which He did take. However, this relationship is not indissoluble; it may be terminated for cause. Yahweh's interest in the world is not for Israel's sake, but rather it is in Israel for the world's sake. He controls the world and all nations in it, even the mightiest, Egypt and Assyria; and He punishes them, however, not for what they did to Israel, but solely for moral considerations, because of their blatant disregard of the most elemental ethical principles of human existence. Summed up: the Yahweh of Amos, so Harper affirms, cannot be a national god; He must be a world-god. But as such there is in Amos no

[1] *International Critical Commentary; Amos and Hosea*, cxiv–cxix.

[2] *Encyclopedia Biblica*, I, 157.

glimmer whatever of plan and purpose in Yahweh's dealing with the world or even with Israel.

Very plainly, Harper has considered the question much more objectively and responsibly than have most other modern scholars, and the conclusion which he reached, viz. that Amos was a universalist or an ethical monotheist only in a practical and qualified sense, is beyond challenge. But it seems distinctly possible to pursue the investigation of the universalism of Amos even further and to reach even more positive and significant conclusions. That is the task of this study.

Actually the passages in the Book of Amos which voice the universalistic point of view are not many, but they are clear and decisive. Two passages in particular are expressive of this principle, i 3–ii 3 and ix 7 plus iii 2.

We treat of i 3–ii 3 first. The majority of modern scholars are agreed that in this rather lengthy passage, manifestly constituting the very effective introduction to the prophet's address at Bethel,[1] only the denunciations of the four nations, Aram, the Philistines, Ammon, and Moab, were actually the utterances of Amos.[2] As Harper has indicated, in these four denunciations the gods of the individual nations mentioned are disregarded

[1] For the thesis that Amos delivered only one, single address, namely at the Northern national sanctuary at Bethel, on the New Year's Day, the day of the fall equinox, of 751 B.C. cf. Morgenstern, 'Amos Studies, I' (*Hebrew Union College Annual*, XI [1936]) 123–29=*Amos Studies*, vol. I, 7–12.

[2] Marti would exclude the Philistines too from this list. Only a few modern scholars, and notably Buttenwieser (*op. cit.*), would ascribe all seven denunciations, including that of Judah, to Amos. Maag, *Text, Wortschatz und Begriffswelt des Buches Amos* (Leiden, 1951), holds that the denunciation of Judah, in ii 4f., is a late interpolation, but ascribes the remaining six denunciations to Amos. However, the denunciations of Tyre, Edom, and Judah were unquestionably formulated and interpolated into their present positions by some Deuteronomic redactor or glossator, who operated from the distinctively Deuteronomic point of view (cf. Deut. vii 1 f.) that the heathen nations, hostile to Israel, whose destruction has been decreed by Yahweh, were seven in number. In quite similar manner, and undoubtedly in conformity with the very same principle and under precisely the same historic circumstances, a glossator has, as Hölscher (*Hesekiel: Der Dichter und das Buch*, *BZAW*, 39 [1924], 131f.) has pointed out, expanded the original denunciation by Ezekiel of Tyre and Egypt alone to a denunciation of seven nations by inserting arraignments of the Ammonites, Moabites, Edomites, Philistines, and Sidonians in Ezek. 25–32. Hölscher has established that this expansion must have been made in the Persian period. I hope to show in Vol. II of *Amos Studies* that both these ex-

completely. There is not the slightest suggestion anywhere that the gods of these four nations control their destinies in any way, nor is there anywhere in the entire address the least intimation that gods other than Yahweh exist and exercise power each over his own individual nation or people. But, on the other hand, neither is there anywhere in the address any denial whatsoever of the existence of other gods. And without some explicit and positive statement that the gods of other nations have no reality, no being, it may hardly be affirmed that Amos himself went so far, in conscious contradiction of and opposition to the universally prevailing opinion of the day, in Israel too as well as among other peoples, as to maintain definitely that gods other than Yahweh did not exist, and that each individual nation did not have its own national deity or even its own national pantheon. Apparently the fundamental question, did gods other than Yahweh actually exist and function in some manner, never suggested itself to Amos, and he went no further in his thinking than to believe, with full sincerity of course, that in comparison with Yahweh the gods of other nations, not merely the gods of the small and relatively weak, immediate neighbours of Israel, Aram, Philistines, Ammon and Moab, but also those of the more distant, larger, and more powerful nations, Assyria and even Egypt, were insignificant, impotent and completely negligible. Even these greater nations, as vi 14 states specifically and as is implied positively elsewhere in the address,[1] Yahweh can, in total disregard of their own national deities, use as the instruments or agents of His will and, in particular, send against Israel for its destruction. In the thought of Amos Yahweh was the only god in all the world who merited consideration. But this is by no means the same as, but only the

---

pansions, that in Ezekiel and that in Amos, which deal, with but one, single exception, with precisely the same nations, must have been made shortly after and in response to historic circumstances which affected in tragic manner the little Jewish community in Palestine in 486–5 B.C.

[1] Cf. 'Amos Studies, I', 99f.=*Amos Studies*, vol. I, 83 f.

precursor of, the positive and absolute denial of the existence of other gods and of their functioning each on behalf of his own people. This final, absolute denial of the existence of other gods alongside of Yahweh, and the necessary corollary of such denial, the positive affirmation that Yahweh is the only god in all the world, the one, universal God, Amos makes nowhere.

And yet the Yahweh of Amos is certainly more, far more, than a mere national god. It is He who determines the destinies, not only of Israel, His own people, but also of other nations as well. He will send Aram and Ammon into exile and will bring about the destruction of the Philistines and Moab as nations at the hand of a conquering enemy. All of this will constitute their well-merited and dire punishment at Yahweh's hands, punishment, however, as Harper has correctly pointed out, only because of moral offences, because of their total disregard of the ethical way of life and the ethical standards of existence which, very plainly, Yahweh had instituted, so Amos thought and proclaimed, not merely for His own people, Israel, but for all nations and for all mankind. In this respect too the Yahweh of Amos is far more than a mere national god. Not only does His power reach out over all nations, but also His way of life, the pattern of existence and human relations which He has instituted, is incumbent upon them, and He judges and disciplines them by that standard alone. His way of life is in its principles and its application world-wide, universal. In this respect the Yahweh of Amos may well be regarded as a universal god, as *a* universal god, a god of universal, world-wide authority; but not yet, at least not necessarily, as *the* universal God, the one, single, absolute World-God.

Likewise, as some scholars have argued, Yahweh's control of nature suggests strongly that He is the universal God. Most explicit in this respect is the interesting and closely unified passage, iv 6–11. Here the prophet affirms that Yahweh brings or witholds rain and with this bestows or witholds adequate crops.

Likewise He sends noxious plagues, gives victory or defeat in battle, and causes destructive earthquakes, all this in order to carry out His disciplinary purpose. Likewise He can make the sun to set at noonday, in significant deviation from its normal schedule,[1] and He can send locusts or fire to destroy and can also restrain them from their work of destruction.[2] Actually, however, Amos implies little, if anything, more than that Yahweh exercises this control over the various aspects of nature only in relation to His own land and people, Israel, for their benefit or their hurt as the case may be. But we may be sure that other nations attributed to their gods these same controls over nature. Accordingly it is well not to read too much into this aspect of Amos's message and not to infer too much from this with regard to his concept of Yahweh as a universal god.

Most illuminating of Amos's true concept of Yahweh in relation to the world is the second passage, ix 7 plus iii 2. That a close relationship exists between these two widely separated verses has long been recognized. Their thought has been compared or co-ordinated in various ways by different scholars. As usually interpreted, the two verses seem to contradict each other absolutely, in that iii 2, standing by itself and translated, by most scholars, 'Only you have I known of all the nations of the earth,' affirms positively that Yahweh has had relations with Israel alone of all nations, whereas ix 7 asserts the very opposite. This verse states in unmistakable terms that Yahweh did for Aram and the Philistines precisely what he had done for Israel, in that he had brought each nation from the land of its previous sojourn and had settled each in its present domain, presumably a better land for it to dwell in. Moreover, the passage sets forth the fundamental principle, that Israel is to Yahweh not one whit different primarily and essentially from any other people, not even the humble Cushites, impliedly the lowliest of all peoples. To Him one people, whosoever it may

[1] viii 9. [2] vii 1–6.

be, is quite the same as any other people. And for each single people He does that which His benevolence prompts, and in return He requires of it, so it appears, only faithful conformity to His international, and even universal, ethical way of life. That the two verses, each interpreted thus, contradict each other absolutely can not be gainsaid.

But such a fundamental inconsistency is inconceivable in the thought and statement of a single prophet, and particularly so if we understand that his entire message was presented in the course of a single address. Accordingly scholars have sought to obviate, or at least to harmonize, this contradiction in many and devious ways, all more or less forced and none convincing.[1] There is no need to review their procedures and conclusions here.

Actually the problem which these two verses create is simple of solution. A moment's observation must establish clearly that in its present position ix 7 stands absolutely alone, with no connection whatever either with what immediately precedes or with what follows. The customary procedure of Biblical scholars has been to regard the verse as the immediate continuation of ix 1–4, but in so doing various difficulties have been recognized. Fully aware of the unsatisfactoriness of this interpretation, both Nowack[2] and Robinson[3] have suggested that the verse may well be a fragment of some fuller statement or utterance of the prophet, which unfortunately has been lost. But, while the hypothesis that ix 7 is a fragment of a fuller statement of the prophet is indeed suggestive and merits the most careful

[1] Maag (*op. cit.*, 242–5, and note 15) harmonizes this contradiction by holding that Amos actually suggests that a remnant of the sinful nation, the original Israel with which Yahweh had established these peculiarly intimate relations long before its division into the Northern and the Southern Kingdoms, would survive this predicted destruction at Yahweh's hands, and that this remnant which would be spared would be the Southern Kingdom, Judah, Amos's own nation. It is difficult to understand his application of this principle, or rather this assumption, to the two verses under discussion, and even more, it is quite impossible to follow him in his far-fetched and largely gratuitous conclusions.

[2] *Handkommentar zum Alten Testament; Die kleinen Propheten* 171 f.

[3] *Handbuch zum Alten Testament; Die zwölf kleinen Propheten*, 106 f.

and sympathetic consideration, it does not follow at all that we must assume that the remainder of the prophet's statement of which it was originally a part has been lost irretrievably. It would be quite as logical and reasonable to assume that it may be a fragment displaced from its original position somewhere within the address proper, as this must be reconstructed. Careful analysis of the little book will reveal unmistakably that chapters viii–ix, with the omission of the two visions (viii 1–2; ix 1) and a few manifestly secondary passages, and particularly the two late additions to the entire book, ix 11–12 and 13–15, consist altogether of fragments displaced from their original positions within the address delivered by the prophet in the sanctuary at Bethel very early on the morning of the New Year's Day in 751 B.C. In the reconstruction of the address each of these displaced fragments must find its original position; and with them, of course, ix 7. The task is not too difficult, and the result is rewarding indeed.[1]

Where then did ix 7 stand in the original address? This question almost answers itself. It must have stood immediately between iii 1a[2] and iii 2. Thus reconstructed, the passage, as Amos must have spoken it, reads:

3/2	שמעו הדבר הזה / עליכם [3] בני־ישראל	iii 1a
3/2	הלא כבני־כוש אתם־לי / נאם יהוה	ix 7

[1] This reconstructed address I hope to present in due time in *Amos Studies*, vol. II.

[2] That iii 1b is an interpolation by the same late, post-exilic redactor who interpolated ii 4–5, and who sought thus to make the prophet's words apply to the Judah of his own, comparatively late day as well as to the Israel of Amos's day, is self-evident. Equally evident is the fact that this same interpolator introduced quite a number of superfluous words into v. 1a and thus changed the original, effective, poetic phraseology into rather redundant and banal prose.

[3] Perhaps, with *G*, בני should be amended to בית. It is noteworthy, however, that while Amos employs both terms, בני ישראל and בית ישראל, he employs the former, with the single apparent exception of ix.7, only in the early portion of his address, while, beginning with v 1, he uses only the latter term. The fact then that ix 7 in *MT* and in all the versions except *G*, uses בני ישראל, may perhaps be regarded as additional evidence, though, of course, of only secondary import, that this v. stood originally in the early part of the prophet's address, in other words just where we have set it.

3/2 הלא [1] ישראל העליתי / מארץ מצרים
3/2 [2] ופלשתיים מכפתור / וארם מקיר
3/2 רק אתכם ידעתי / מכל־משפחות האדמה iii 2
3/2 על־כן אפקד עליכם / את־כל [3] עונתיכם

iii 1a Hear ye this word
    Against you, ye Children of Israel;
ix 7 Are ye not unto Me even as the Children of Cush,
    Is the declaration of Yahweh.
  Did I not bring Israel up
    From the land of Egypt;
  But also the Philistines from Kaftor
    And Aram from Kir?
iii 2 However,[4] you have I known more intimately
    Than all the peoples of the earth;
  Therefore must I visit upon you
    Every one of your transgressions.

How perfectly ix 7 fits into this position is almost self-evident. Thus placed, there is not only no contradiction whatever between ix 7 and iii 2, but also the two verses actually supplement each other and together voice a single and complete thought, a thought which is moreover the very keynote of Amos' entire address. Metrically too the entire passage, as thus reconstructed, is a unit, couched throughout in the 3/2 metre, the traditional metre of the *qînah*, and producing accordingly the startlingly effective impression of a dirge, pronounced by the prophet over the people, listening aghast and with steadily increasing

[1] את both here and before הדבר of v. 1 of *MT* is metrically inelegant and perhaps even slightly disturbing. It was probably inserted in both places by the same prosaic glossator who interpolated v. 1b.

[2] ופלשתיים, a four-syllable word, consisting of a noun and a prefix, must here be read with two beats for the sake of the meter. This is undoubtedly just how the prophet spoke it. Reading the word thus, with the prefix receiving its own beat, brings out the full import of the conjunction, ־ו, just here, namely, 'but also'.

[3] It is necessary to read כֹּל with a long vowel and thus make it stand by itself and so receive a full beat, just as the meter requires. Read thus, the word becomes distinctly emphatic, and so may be fittingly translated 'every one of'.

[4] In this setting רק expresses the idea of contrast, and so must be translated 'however'. רק has this specific connotation quite frequently; cf. especially 1 Kings iii 2; viii 19; xv 14; likewise Deut. xii 15, 16, 23, 26; xvii 16; xx 14, 16, 20; Joshua xi 13, 14, and *passim*. Moreover, because of the outstanding significance of the word in this place, it must receive a full beat, despite the fact that ordinarily conjunctions are slurred over by being linked to the following word.

foreboding to the words which he was addressing to them in the name of Yahweh, their God, and which forecast the announcement of their complete doom, soon to follow.

Moreover, in just this position, following not too long after the prophet's denunciation of the four nations, all for disregard of the moral law of human existence, which Yahweh had instituted for all nations and for all mankind, and with its specific mention in ix 7 of Aram and the Philistines, two of the four nations the announcement of whose doom at the hands of Yahweh the people had just heard with such satisfaction and unqualified approval, the passage, as thus reconstructed, and voicing so positively the principle that Israel is essentially no different at all in Yahweh's eyes from any other people, and especially from Aram and the Philistines, except in that, because of its long and more intimate relations with Him a greater responsibility rests upon it, constitutes the logical and effective transition in the address of the prophet, now that Israel's own transgression of Yahweh's moral law of existence and of human relations has been effectively established,[1] to the final and irrefutable affirmation of Israel's guilt, surpassing far that of any of the four nations already condemned, and the pronouncement of its merited, divinely determined and absolutely inavertible doom. Thus reconstructed and following in the prophet's address almost immediately upon the denunciation of the four foreign nations for their disregard of Yahweh's ethical way of life for all peoples and all mankind and the announcement of their well-deserved doom at Yahweh's hands, conquest and exile and loss of national existence, the passage argues, how much more justifiably then and how much more severely must Yahweh punish Israel, even to the extent of complete, national annihilation, for its repeated and insolent flouting of the most fundamental principles of His way of life, which, because of its

[1] ii 6 ff.

closer relationship to Him, it must, or at least should, have comprehended better, far better, than could any other people. Without this linking of ix 7 with iii 2 in this manner and the setting of the complete passage where iii 2 now stands, the overwhelming effect of this superb thought transition is lost almost completely, as is likewise the full import of the prophet's introduction of his address by the denunciation of the four nations. With ix 7 linked with iii 2 and the entire passage standing where iii 2 now stands, the logic of the prophet's argument is unanswerable. Small wonder if the people become appalled and speechless as the prophet's message unfolds from this point on. By their very endorsement of the prophet's denunciation of the four nations, their traditional enemies, they had condemned themselves completely and without the slightest possibility of self-defence, and had justified perfectly the pronouncement of their own doom, soon to follow. This linking of ix 7 with iii 1a and iii 2 and the setting of the passage thus reconstructed in the body of the address where iii 2 now stands can, in the light of these cogent considerations, hardly be challenged.

Further implications of Amos's thought and message become increasingly clear from this reconstruction of this passage and its setting in this, its logical, place in the address. And first of all, the nature of the doom which Yahweh will, in full justice, bring upon Israel. If Aram must be punished for its disregard of Yahweh's universal, moral law, be punished by exile, back to the very place whence Yahweh had brought it at first, and if the Philistines must be punished by destruction and disappearance as a nation, impliedly through war and conquest by a foreign nation, then how much the more deservedly must Israel experience the very same punishments. It too must be overcome in devastating warfare by a powerful enemy, and thus must lose both country and national existence. And the remnant of the people, which will survive this destruction, must go into exile.

And exile whither? Precisely like Aram, which Yahweh had brought up from Kir and which He will now return thither, so must this small, forlorn fragment of the people of Israel go back to the place whence Yahweh had brought it at the very first, as His initial act of grace towards it, when He entered into covenant with it and took it to be closer to Him than any other people, back into the vast and barren desert far beyond Damascus. And there it must of necessity revert to its primitive, nomadic existence, the only way of life which the circumstances of the desert permit, with all its hardship, deprivations and meagre, painful existence, from which Yahweh, in His great compassion, had once delivered it. Precisely this is the unmistakable implication of v 26 f.[1]

Moreover, the passage, as thus reconstructed, depicts Yahweh as a god who has relations with various peoples, and, impliedly, even with all peoples. As has already been stated, He can, and, if occasion arises, as it now has, will, use one nation, in this case Assyria, as the instrument of His punishment of other nations which transgress against Him and disregard His law of life, His punishment not only of Israel, but also of the four other nations whom the prophet condemned and whose doom at Yahweh's hands he announced at the very beginning of his address. However, His relations with all peoples are in principle kind and benevolent. He had brought Aram and the Philistines, as well as Israel, from their original home-lands and settled them in their present abodes, presumably lands better and more desirable than those from which He had taken them. Furthermore, He had prescribed an ethical way of life for all peoples. This too is in truth an expression of His kindliness and benevolence towards them, for His ethical way of life, with its emphasis upon the principles of justice and true democracy, means greater security and happiness for all peoples and all persons, the small and weak as well as the great and powerful. Cer-

[1] Cf. Morgenstern, *The Ark, the Ephod and the 'Tent of Meeting'*, 109–11.

tainly Amos conceives of Yahweh as more, far more, than a mere national god.

And yet, so he affirms unmistakably, Yahweh's more intimate relationship with Israel is the result of an act of divine choice. At a certain moment in the history of Israel and of mankind, the very moment when Israel's fortunes had reached their lowest ebb, when it seemed actually to be a people without a god to protect and deliver it from its then unhappy state of enslavement in a strange land and to a strange people, Yahweh had picked Israel out from among the nations to be His people[1] and to stand in a peculiar relationship to Him, which not only conferred upon it unique privileges, which no other nation or people enjoyed, but also correspondingly unique responsibilities and obligations, above all else, to live the ethical life which Yahweh had ordained for all peoples, but, because of its peculiar closeness to Him, for Israel in the first degree. It would have been a short and easy step from this for Amos to have drawn the inference that just because of its greater proximity to Yahweh Israel was to be the exponent and to set the pattern of this ethical way of life for all the other nations to observe and emulate, and that Yahweh had chosen Israel as His people for just this service. But nowhere does Amos intimate this or suggest in any way that Yahweh's choice of Israel was motivated by purpose of any kind, and least of all by a purpose of universalistic implication. It was not until Deutero-Isaiah, more than two hundred years after Amos, that this principle found formulation and affirmation. Apparently the idea never presented itself to Amos. In many and essential respects the Yahweh of Amos was a universal God, but plainly in other, equally essential respects He was still a national deity. We may say, perhaps, that this last was in large measure a survival of the old, traditional concept of Yahweh as Israel's national god; but if so,

[1] Note how frequently Amos, speaking in the name of Yahweh, calls Israel עמי, 'My people' (vii 8, 15; viii 2; ix 10).

then it follows undeniably that Amos had not completely outgrown and discarded this concept, and that his Yahweh was still in no small degree a national god.

Moreover, Amos's language implies quite definitely that Yahweh can have such intimate relations as He maintains with Israel with only one nation or one people at a time. Immediately the question arises: With what people did Yahweh have, in Amos's thought, comparably intimate relations in the period before His choice of Israel? This question can, of course, not be answered for total lack of evidence in the address of the prophet. None the less it is distinctly implicit, even though it seems not to have suggested itself to him.

And equally implicit and far more insistent is the parallel question: After Yahweh will have repudiated Israel and driven it forth into exile, back to the desert from which He had brought it at first, would He choose some other nation to be His people in Israel's stead, to stand closer to Him than any other single nation of this new era, to enter into covenant relationship with Him, to worship Him and, in principle, Him alone, to live with maximum responsibility the ethical life which He has ordained for all nations and peoples, and to enjoy in first degree His protection and favour and to prosper through His love and blessing? Or, on the other hand, would He, after His rejection of Israel, be left a god without a people, without a people to protect and prosper, and, viewed from the opposite angle, without a people to worship Him? Would He become a god in the abstract, as it were, a god with no relations with and no function to perform in behalf of any people? Or would He be a god who, it might be truthfully said, had learned a valuable lesson, and this too in the hard way, through bitter, disappointing experience, and who henceforth would establish relations with no single, chosen people, but instead would function only dispassionately, almost automatically, on behalf of all nations equally, with no specific interest in and closeness to any one of them? Or would He perhaps erase all nationalistic distinctions and boundaries and merge all mankind into one large, single, all-inclusive unit, whose sole God He would be? Of this last potentiality there is in Amos's entire address not the slightest intimation. Never does he affirm, or even suggest, in direct and positive manner the absolute singleness and unity of God or deny the existence of gods other than Yahweh, nor does he even hint at this by a single syllable. Nor does he seem ever to advance beyond the idea of a single nation or people as the largest conceivable unit, ethnic, political, social or religious, in the organization of the human race, and particularly in its relationship to a god or gods. Still less does he imply in any way that there was divine purpose in Yahweh's selection of Israel, some particular function, appointed by Yahweh, for Israel to perform in the execution of a divinely conceived, universal plan. But well might we ask today, or might some contemporary of Amos, or even the prophet himself, have asked: Why did Yahweh choose Israel at all in the first place? What purpose and what considerations impelled Him to this choice? Did He see in Israel something unique, something specific, which He beheld in no other people? And if so, what was this unique quality in Israel, and what was it that gave it, and with it Israel, especial value in Yahweh's thought?

Certainly all these questions are implicit in Amos's concept of Yahweh and of His relations to Israel, on the one hand, and to the other nations or peoples of the earth, on the other hand. The definitive evidence thereof is the simple fact that the successive prophets who followed Amos, Isaiah, Jeremiah, Ezekiel, and Deutero-Isaiah, each, in turn, became aware, perhaps in large measure intuitively, of these various implications of Amos's doctrine and developed and advanced them step by step until ultimately, some two centuries after Amos's time, they culminated in Deutero-Isaiah's message of Yahweh as the one, universal God, besides whom there is no other god, of the unity of mankind in relationship to Him, of divine purpose animating all of time and history, and of the role of Israel as His servant, chosen by Him to be His agent of salvation for all nations and peoples and for the entire human race. Very plainly, the germ of this doctrine in all its manifold phases was present, although as yet in the main hidden and unperceived, in the message of Amos at the middle of the eighth century B.C. It needed two hundred years of expanding experience of Israel as a nation and consciously as the people of Yahweh, and of the gradual maturing of prophetic thought and teaching for this germ to develop and flower as the full-blown universalism which Deutero-Isaiah finally proclaimed.

One other passage in the Book of Amos and the thought which it expresses have direct bearing upon the question of the stage of universalism to which Amos had advanced. In vii 17 he announced that the climax of the unhappy fate of Amaziah, the chief priest of Bethel, who had challenged his prophetic authority, would be that he must die upon unclean soil. This meant unquestionably that he must die in a foreign land, the land into which, along with others of his people, he will have been carried off into exile in fulfilment of Yahweh's decree. Now why should the soil of a foreign country be regarded as unclean? Only one answer to this question is possible. From the standpoint of Amos and his people only the land of Israel is clean, and this just because it is Yahweh's land, and there and there alone may He be found and worshipped. Correspondingly every other land is unclean, at least for Israel, because Yahweh is not there and can not be found and worshipped there. Exiled to a foreign land therefore, Israel would be cut off completely from Yahweh, from all communion with Him, and so would be denied all possibility of appeal to Him for mercy, for help, and for deliverance from its sad and hopeless lot. It remained for

Jeremiah to be the very first to proclaim, in his message to the Jewish exiles in Babylon,[1] more than a century and a half after the time of Amos, that even in that distant country, far from their own native land, they could still pray to Yahweh for the welfare of the city and the community in which they had come to dwell, and confidently expect that Yahweh would even there hear their prayers and answer them benevolently. Implicit in Jeremiah's words is the thought that Yahweh might be worshipped by His people in any spot upon the earth where, for any reason whatever, Israel might settle. This was a mighty step forward in the direction of true and complete universalism. But Jeremiah was the very first to take this step. The Yahweh of Amos was still in practice bound to the land of Israel, and only there could He be worshipped. This was essentially nationalism in religion; certainly a far cry from universalism.

From all this it is clear that the advance from nationalism to a thorough-going universalism in the religion of Israel, and with this in the religion of mankind, was a process long, slow, and difficult. It needed more than two full centuries of history for Israel, history eventful and for the most part costly and tragic, two centuries which witnessed the destruction of both Northern and Southern Kingdoms and the complete loss of national existence for the total people of Israel, and it needed also the unfolding interpretation, by a remarkable chain of inspired prophets, of divine will and purpose in all this bitter, historic experience, for the true concept of Yahweh as the one, sole world-God, the God of the universe, of time and of history, to evolve and to find definitive formulation. Not until Deutero-Isaiah, in the third quarter of the sixth century B.C., more than two hundred years after Amos, was this stage in the evolution of the religion of Israel and of the religion of all mankind achieved. Certainly Amos himself did not arrive at this stage.

But it is perfectly clear what Amos's role in this long evolu-

[1] Jer. xxix 7.

tion of universalism in religion really was. He was the very first in all Israel, and, viewed from the standpoint of ethical-spiritual religion, the very first in all human history, to transcend the limits of nationalism and nationalistic religion and take a definite step forward in the direction of true and complete universalism. Actually it was a short step that Amos took in this direction. But it was at the same time a bold, a revolutionary step, one which defiantly overleaped the narrow confines of the nationalistic religion of Amos's contemporaries, both of his own people, Israel, and of all the nations of the world. It was a momentous step, fraught with immeasurable significance for the religious thought, the spiritual aspiration, the social progress, the eventual salvation of all mankind. It matters not at all that Amos did not attain the ultimate stage, did not comprehend and speak the final word in the formulation of the principles of universal religion and of Israel's divinely appointed task therein. For this the service and mediation of a long chain of inspired prophets were needed indispensably. It would have been far too much to have expected this of Amos alone. This would be asking the impossible.

For let this be clearly understood. Prophetic revelation may be compared very properly and aptly to a conversation over a telephone. The speaker at the one end of the line may have a message to deliver, a message of truth and urgency. But if there be at the other end of the line none who can hear and understand and transform the message into action, the entire procedure is futile and actually no message is transmitted. Prophetic revelation requires not only the inspired prophet to receive the message from his source of inspiration, God, and then transmit it onward, but it requires equally the people to hear the message, to understand, at least in some degree, its purpose and import and to be moved in some measure to action in response thereto. This means, of course, that, no matter who he be and regardless of the nature and depth of his inspiration, no prophet may, or even can, think, speak, and act far beyond the stage of religious thought, conviction and organization which his own people, his contemporaries, have reached; for otherwise his message would fall upon absolutely deaf and uncomprehending ears and would fail completely of its divinely conceived purpose and be altogether fruitless.

But even this is not at all surprising or disturbing. No matter what the degree of divine inspiration and afflatus which possess him at the moment, the prophet is none the less essentially and predominantly human. He is the human tool with whom the Deity must work at that moment. And being human, he is primarily the child of his own time and his own people. Despite the measure of divine spirit which may fill him at the moment, he is still in the main a human being, subject to most, if not all, of the limitations of human nature and existence. Despite his momentary, divine possession, he can think and act only to a relatively slight degree upon a plane loftier than that of the people to whom he is speaking and of whom he is himself actually one. Above all else, his message is to them and, in order to stimulate them to action of some kind, must be comprehended, at least in some measure, by them. The prophet is therefore limited and restrained in no small degree by his times and his audience. He may never speak or act too far beyond them and their powers of comprehension and action, lest he lose completely direct contact with them and so make his prophetic ministry utterly futile, and thereby defeat the very purpose for which God had called him.

Certainly, had Amos been able to think in terms of a true and complete universalism, and had he himself grasped all its implications, his people, to whom he was speaking from out the depths of deep and all-pervading conviction, would not have understood him at all, for he would have been speaking of matters which lay far outside the range of the intellectual, spiritual, and religious experience and comprehension of the Israel of the middle of the eighth century B.C. Nor could he himself, fundamentally the child of his own people and of his own age, think, even with the aid of divine inspiration, far beyond the potentialities of his people as a whole and of his age. After all, even with a deeply penetrating divine inspiration, he was still, at the moment of prophetic action, primarily human and subject to the limitations of humanity, and only secondarily divine.

It matters not therefore that Amos could not think, even under the effects of divine inspiration, too far beyond the intellectual and spiritual potentialities of his own people, and could not therefore transcend completely the narrow, restraining bounds of nationalistic religion and nationalistic conception of Deity and thus arrive, in one leap as it were, at the full comprehension of universalism in all its manifold implications. It was enough, significantly enough, that, as the prophet of God, he took the first, momentous step, away from the narrow, restrictive limitations of nationalism and nationalistic religion in the direction of universalism, a universalism which comprehends all phases of human existence. In so doing he set in operation a process of evolution of human thought, human life, and human worship, the ultimate goal of which is the fulfilment of universal, divine purpose in the realization by man of the absolute unity of God and of the universe which He created, and through this his salvation from the evil, the faithlessness, the rebellion, the sin, the chaos which must otherwise fill this world in which he lives and overwhelm him and carry him on to his eventual self-destruction. This was Amos's supreme achievement as a prophet. And by it he stamped himself as a significant, epoch-making figure in human history, an exalted prophet, the first of a long line of prophets of a distinctly new type, a worthy servant of God.

HEINE UND DIE ROMANTIK

VON ERNST SIMON, JERUSALEM

DAS Thema ist oft behandelt worden, aber eine endgültige Klärung steht noch aus. Die folgenden Überlegungen, dem Verfasser der bedeutsamen Schrift „Romantische Religion"[1] in Ehrfurcht und Liebe zum 80. Geburtstag dargebracht, sind als ein weiterer Klärungsversuch gemeint. Der Fortschritt, den sie zu erzielen hoffen, wird durch eine möglichst genaue Trennung und vergleichende Wiedervereinigung verschiedenartiger Untersuchungsmethoden angestrebt: sowohl Heines Gebrauch der Wörter „romantisch" und „gotisch" wird geprüft werden wie auch seine Haltung zur Frage „Poesie und Prosa"; besonders im Lichte seiner Selbstbekenntnisse. So vorbereitet, können wir in die Analyse eines Jugendgedichtes eintreten, das entscheidende Elemente der Lösung enthält. Vorausgeschickt aber sei eine – naturgemäss unvollständige – historische Übersicht über die bisherige wissenschaftliche Behandlung der Frage.

I

ZUR LITERATURGESCHICHTE DES PROBLEMS

IM Jahre 1836, in dem Heines *Romantische Schule* erstmalig veröffentlicht wurde, aber noch vor deren Lektüre, gab BERTHOLD AUERBACH seine Jugendschrift *Das Judenthum und die neueste Literatur* heraus.[2] Dort erscheint Heine eindeutig als Gegner der Romantik: seine „Opposition gegen die mondsüchtige Sentimentalität, wie gegen geharnischte Ritterpoesie, war die kräftigste. . ."[3] Genau wie dem 24-jährigen Auerbach diente Heine auch dem 24-jährigen HERMANN

[1] Leo Baeck, Romantische Religion, Sonderabdruck aus der Festschrift zum 50-jährigen Bestehen der Hochschule für die Wissenschaft des Judentums, Berlin; o.J. (1922).

[2] *Kritischer Versuch*, Stuttgart 1836. [3] S.11; vgl. noch 45–55, 65.

Cohen als ein mächtiger Denkanstoss. In seinem anonymen Erstling *Heinrich Heine und das Judentum*, der, 1866 verfasst, in der „Gegenwart", einer „Berliner Wochenschrift für Jüdische Angelegenheiten" herauskam,[1] „ legt" der damals noch spinozisierende Philosoph „das Niveau der Heinefrage so hoch, wie es immer gelegt werden sollte". Dieses Urteil Franz Rosenzweigs[2] gilt auch für unser Sonderproblem: die Klassik wird als „vorschauend", die Romantik als „rückschauend" definiert und Heine zunächst als „ein Kind des romantischen Geistes" angesprochen. „Auch er wurde berauscht von dem sinnbefangenden Duft jener blauen Blume, die damals in Deutschland gepflegt und von dem wässerigsten Pietismus begossen wurde. Er hat den tollen Spuk mitgemacht und seine Phantasie in allen Zauberwäldern umhertollen lassen, als wäre aller wahre und feste Grund der modernen Menschheit unter den Füssen entwichen." Und doch: während Friedrich Schlegel sich gern mit dem Geschichtschreiber als dem „rückschauenden Propheten" identifiziert, nennt Heine sich mit Vorliebe einen *Tribunen* oder *Apostel*. In seinem Glauben an den Fortschritt der Menschheit „hat er sich selbst über die Romantik *erhoben*, und von diesem Gesichtspunkte aus dieselbe treffend beurteilt und *gerecht verurteilt*."[3]

Die beiden hier durch Auerbach und Cohen bezeichneten Stellungnahmen kehren in der Literatur immer wieder: entweder wird Heine einfach als Gegner der Romantik in Anspruch genommen, oder aber – weit richtiger – seine ambivalente Haltung zu ihr charakterisiert und zu deuten versucht. Für beides noch einige Beispiele!

Rudolf Hayms monumentale Gesamtdarstellung von 1870[4] behandelt nur die Frühromantik und schliesst mit deren

[1] 1867. Wieder abgedruckt in Hermann Cohens *Jüdischen Schriften*, ed. Bruno Strauss, II, Berlin 1924, 2–44. [2] Einleitung, ebenda, Band I, p. xxiii.

[3] Die Zitate: Cohen l.c. II, 11–14; vgl. 19. Die Hervorhebungen in Cohens Originaltext.

[4] *Die Romantische Schule, Ein Beitrag zur Geschichte des deutschen Geistes*, Vierte Auflage, ed. Oskar Walzel, Berlin 1920.

Krise zu Beginn des 19ten Jahrhunderts ab: Heine bleibt also schon chronologisch ausserhalb ihres Gesichtskreises. Doch ist diese Stoffbeschränkung selbst nicht nur stofflich, sondern auch tendenziös bestimmt, wie der Neuherausgeber Oskar Walzel anmerkt: „Haym wollte einst die deutsche Romantik retten, indem er die späte politisch rückschrittliche Romantik preisgab. . .“[1] und mit ihr eben auch die Behandlung ihres vornehmsten Gegners: Heine.

Um dieselbe Zeitwende, im Winter von 1870 auf 1871, hielt der junge GEORG BRANDES seine sofort grösstes Aufsehen erregenden Vorträge an der Kopenhagener Universität über die „Hauptströmungen der Literatur des neunzehnten Jahrhunderts.“[2] Auch für ihn gehören Heine, Boerne und Auerbach, auf deren jüdische Abstammung er übrigens hinweist, schlechthin zu der antiromantischen Gruppe, die „von den Ideen des [geistigen] Freiheitskrieges und der Julirevolution inspiriert wird.“[3] So hat denn Brandes' Behandlung der „Romantischen Schule“ im 2. Bande seines Werkes keinen Raum für Heine als deren Angehörigen oder doch Spätling, obwohl er über Hayms zeitliche Grenzen hinausgeht und auch Eichendorff, Fouqué und Kleist einbezieht.

Nach wiederum 30 Jahren war die Zeit für eine neue Gesamtdarstellung reif: RICARDA HUCH hat sie gegeben. Ihre Bücher über die *Blütezeit der Romantik*[4] und über *Ausbreitung und Verfall der Romantik*[5] trennen nun ausdrücklich zwischen beiden Perioden; trotzdem wird, soweit ich sehe, Heine kein einziges Mal erwähnt, auch nicht – und vielleicht mit gutem Grunde – im Kapitel „Romantische Ironie.“[6]

[1] l.c. 931.

[2] Übersetzt und eingeleitet von Adolf Strodtmann, I Berlin 1872, II 1873.

[3] l.c. I, 7; vgl. eine andere Berufung auf Auerbach II, 269.

[4] 1.A. Leipzig 1899.

[5] 1.A. Leipzig 1902, hier benutzt: „Die Romantik“ 6–9 A; 1920.

[6] Über den Unterschied der Heineschen Ironie von der romantischen vgl. jetzt Fritz Strich, *Deutsche Klassik und Romantik*, 4.A, Bern 1949, 334; noch nicht 1.A. München 1927, 242; anders Walzel II 34 (s. Anm. 44, S.128). Felix Stoessinger in der Einleitung zu seiner grossartigen

Ebenfalls um die Jahrhundertwende erschien R. M. MEYERS „Deutsche Literatur des neunzehnten Jahrhunderts“.[1] Das Buch ist mit einem Satz der Ricarda Huch als Motto geschmückt, weicht aber in der Einordnung Heines von ihr ab: Meyer verzeichnet nicht nur die Einflüsse verschiedener Romantiker auf Heines Volksliedton und seinen Witz, sondern charakterisiert auch die Ambivalenz seiner Haltung – in der „Harzreise“ – mit den Worten: „Romantik und Realismus haschen sich.“[2] Bei solchen Feststellungen aber, deren Gründe nicht ernstlich analysiert werden, hat es sein Bewenden: ein Rückschritt also hinter H. Cohens Erkenntnisse, die freilich erst später, durch die Neuherausgabe in den „Jüdischen Schriften“, der unverdienten Vergessenheit teilweise entrissen werden sollten.

OSKAR WALZELS Einzelforschungen und zusammenfassende Darstellung[3] waren ebenso stark von Ricarda Huch beeinflusst wie gegen ihre Neigung gerichtet, die Einheitlichkeit der Romantik in zwei entgegengesetzte Strömungen auseinanderzureissen. Heine wird durchgehend in den verschiedenen Kapiteln des Dichtungsbandes behandelt, bezeichnenderweise aber in dem über „Welt- und Kunstanschauung“ überhaupt nicht erwähnt: die Heines wurzelt eben für Walzel nicht mehr in der Romantik, im Gegensatz zu seiner Dichtung. Aber auch für diese gilt: „Das ganze Repertoire romantischer Poesie kehrt bei Heine wieder; doch nur sehr selten und nur in seinen Anfängen glaubt er an die romantischen Stimmungen, die er wachrufen will.“[4] Gerade diese Souveränität aber gegenüber seinem Stoff und gegenüber den eigenen Kunstmitteln macht

---

Heineanthologie *Mein wertvollstes Vermächtnis*, Zürich 1950, sieht Heines Ironie als dialektische „Gegenkraft“, die ihn „von der romantischen Poesie und Gefühlsergiessung“ befreit habe (xlvii).

[1] 3.A., Berlin 1906, 132–52. [2] S.140.

[3] *Deutsche Romantik*, Leipzig-Berlin, 1908; 4. A.I.u.II, 1918; über Heine II 9, 12, 53–6, 63–9, u.ö.

[4] II, 67.

ihn zugleich zum grössten Künstler der Romantik und zu ihrem „Überwinder".

Als Walzel zu diesen Formulierungen gelangte, hatte schon eine neue Epoche der Romantikforschung begonnen, und zwar mit der tiefgreifenden Untersuchung von FRITZ STRICH „Deutsche Klassik und Romantik oder Vollendung und Unendlichkeit". (1922)[1] Unter dem Einfluss seines Lehrers Heinrich Wölfflin, dessen Kategorien er wohl erstmalig von der Kunst – auf die Literatur – und Geistesgeschichte übertrug, nimmt Strich die formalen Erscheinungen nun auch weltanschaulich ganz ernst. Wenn z.B. Goethe, Eichendorff und Heine das Motiv „Meeresstille" zum lyrischen Gegenstand wählen, so gestaltet „die Allmacht der Form" daraus drei Zeitformen der Dichtung: zeitlose Dauer, Unendlichkeit, Augenblicklichkeit.[2] Diese letzte aber ist, als „bedingte Zeitlichkeit", das Kennzeichen eines „dritten Typus" neben Klassik und Romantik, der nach dieser „auftaucht".[3] Das „junge Deutschland", dessen Führer nicht zufällig „ein östlicher Geist" war: Heine, verachtet jede Flucht aus der eigenen Zeit, proklamiert die Gegenwart und drückt sie impressionistisch aus. Der vergötterte Augenblick „hat von der Klassik die Gegenwärtigkeit und von der Romantik die Verwandlung" und bringt sie so beide zur „Synthese".[4] Deren Preis freilich ist häufig die Zerstörung der künstlerischen Form. Wenn daher „Menschen dieser Zeit noch wirklich Schöpfer, Dichter, Künstler waren, dann ging der Riss der Zeiten mitten durch ihr Herz. So ging es Heine und Büchner."[5]

[1] 1.A. München 1922; sie ist neben der stark erweiterten und in der Haltung z.T. veränderten 4.A., Bern 1949, ständig zu vergleichen. Eine prinzipielle Auseinandersetzung mit der Hauptthese des Buches siehe bei Julius Petersen, *Die Wesensbestimmung der deutschen Romantik*, Leipzig 1926, 84–102.

[2] 1.A., 106–8; 4.A. 157–9.

[3] Nur 4.A. 157.

[4] 1.A. 249–51. Vgl. übrigens Goethe zu Eckermann über Byron: „Byron ist nicht antik und ist nicht romantisch, sondern er ist wie der gegenwärtige Tag selbst." (5/VII/1827; *Gespräche mit Goethe*, ed. O. Pniover-E. Regen, Berlin o.J. (1912), 235.)

[5] Nur 4.A. 334 f.

Auch Strich betont also zuletzt, wie Cohen, Heines Ambivalenz gegenüber der Romantik, nur legt Cohen dabei den stärkeren Ton auf die Botschaft der Zukunft und den Aufruf zur Tat, Strich auf die Verabsolutierung der Gegenwart und das Behagen im Genuss. Doch ist dies nicht sein letztes Wort. Die (chronologisch zwar frühere) schöne Gedenkrede „Goethe und Heine", sieht einen Gegensatz zwischen den beiden Dichtern eben in ihrem verschiedenen Verhältnis zur Tat, (die ja immer auf die Zukunft geht) und sagt von Heine, ganz ähnlich wie FELIX STOESSINGER: „Selbst der kalte Wasserstrahl der Ironie, mit dem er die eigenen romantischen Stimmungen und Gefühle so gern am Ende seiner duftigsten Lieder verscheucht, scheucht aus den tatlosen Träumen der Poesie empor und ruft in Leben und Wirklichkeit zurück."[1] Im selben Vortrag aber heisst es, ähnlich wie bei Walzel: „. . . die Naturbeseelung der Romantik ist bei ihm bereits zum Requisit geworden, ein Kulissenzauber."[2] Die Ambivalenz ist hier also eine Stufe tiefer gelegt: sie bezeichnet nicht nur die Haltung Heines zur Romantik, sondern diese Haltung ist selbst wieder für diesen Beurteiler ambivalent aufgespalten: in je ein positiv und ein negativ zu bewertendes Element, in überwindenden Zukunftswillen und nachahmerische Virtuosität. Damit sind wir wieder bei Cohen, ja, fast bei Auerbach angelangt.

Angesichts einer so problematisch ausgehenden ernsten wissenschaftlichen Bemühung von mehr als einem Jahrhundert[3]

[1] Fritz Strich, *Der Dichter und die Zeit*, Bern 1947, 196 vgl. 223; vgl. noch Stoessinger xii f., xxiv f., xxx, xlvii, lii, lxxx f.

[2] Strich, *Dichter und die Zeit*, 217; vgl. Walzel ii, 67.

[3] Die nichtdeutsche Literatur durfte hier unberücksichtigt bleiben, weil die geistesgeschichtliche Lage der Romantik ausserhalb Deutschlands spezifisch anders war. Darauf hat schon Heine selbst, und vielleicht als erster, in seinen theoretischen Äusserungen des öfteren hingewiesen, vgl. Wwe, kritische Ausgabe², ed. Ernst Elster, Leipzig-Wien, 1890 (nach der in folgenden immer zitiert ist): v, 355 f. (Die Romantische Schule) v, 482 f. (Shakespeares Mädchen und Frauen); H. H. Houben, *Gespräche mit Heine*, Frankfurt a.M., 1926, 836. Deshalb also wohl ist die nichtdeutsche Literatur, soweit mir bekannt, für unser Problem relativ unergiebig, mit Ausnahme des bedeutenden Buches von Henri Lichtenberger, *Heine als Denker*, tr. Friedrich von Oppeln-Bronikowski, Dresden 1921. Sonst aber finde ich immer wieder nur einzelne Hinweise, von denen einige anmerkungsweise verzeichnet seien: Mario

ist der Antwortsuchende wohl berechtigt und verpflichtet, Heine noch einmal selbst zu befragen.

II
DER WORTGEBRAUCH[1]

HEINES Tragödie *Almansor*, die er als etwa 23 jähriger Student, 1820 oder 1821, geschrieben hat, wird vom Verfasser selbst, in einer Zeile des gereimten Mottos, wie folgt charakterisiert:

„Romantisch ist der Stoff, die Form ist plastisch" (Elster II, 250). Diese Formulierung stimmt genau zu Heines erster gleichzeitig entstandenen theoretischen Bemühung um „Die Romantik" (VII, 149–51, 1820), wo es heisst: „ . . . die [christlich-mittelalterlichen] Bilder, wodurch jene romantischen Gefühle erregt werden sollen, dürfen ebenso klar und mit ebenso bestimmten Umrissen gezeichnet sein als die Bilder der plastischen Poesie." Heine wendet sich mit diesen Worten gegen den angeblich notwendigen Gegensatz zwischen romantischem Inhalt und plastischer Form. So kann er Goethe (!) und A. W. Schlegel als „unsere zwei grössten Romantiker" an-

---

Praz, The Romantic Agony, tr. from the Italian by Angus Davidson, London 1933, belegt seine Gleichung zwischen der romantischen Literatur und der dekadenten erotischen Überempfindlichkeit ganz nebenbei auch durch Heines Motiv der Liebe zu einer Toten (276) und dessen Fascination durch die Gestalt der Herodias (299–302, Atta Troll, c.xix); C. M. Bowra, The Romantic Imagination, London 1950, 272, setzt Heine, mit anderen, in Gegensatz zur englischen Romantik: 'They have their full share of Romantic longing, but almost nothing of Romantic vision' – eine schwer haltbare Behauptung! Auffälliger aber noch sind Nichterwähnungen, wie bei Théophile Gautier, Histoire du Romantisme, Paris 1870, der Heines persönlicher Freund war und ihn nicht einmal in dem Kapitel über seinen Übersetzer, Gérard de Nerval, nennt, – oder wie bei Ernest Seillière, Pour le Centenaire du Romantisme, Paris 1927, wo man Heines Namen zum mindesten in dem Kapitel „Romantisme allemand et romantisme français (Mme de Staël)" erwartet hätte. Seillière's Theorie von den revolutionären „politischen Romantikern" ist, wie fast alles zum Thema gehörende, schon bei Heine angedeutet: „Florentinische Nächte", IV, 361. Auch eine literaturvergleichende Motivforschung wie die von Václav Cerny, Essai sur le Titanisme dans la Poésie Romantique, Prague s.a. (1935), hat für Heine keinen Raum. Angesichts dieser Stichproben – und mehr erlaubt mir mein allerdings beschränkter Überblick nicht – scheint die Konzentration auf deutschsprachige Literatur im wesentlichen gerechtfertigt.

[1] Der Text gibt nur eine repräsentative Auswahl aus dem viel grösseren Material; Vollständigkeit ist nicht erstrebt.

sprechen, die „zu gleicher Zeit auch unsre grössten Plastiker sind.“ Die von uns bisher als „Ambivalenz“ bezeichnete Haltung zur Romantik ist mithin schon in ihren ersten Anfängen angelegt und äussert sich in einer Interpretation, die den Gegensatz zur Klassik fast völlig verwischt.

Nur kurze Zeit darauf, im Herbst 1822, bereiste Heine Preussisch-Polen. In seinen Reisebriefen bemerkte er, dass schöne kräftige Menschen, ein Edelmann oder eine Polin, die Seele ebenso erfreuen können, „wie etwa der Anblick einer romantischen Felsenburg oder einer marmornen Mediceerin“ (VII, 195 f.). Romantik und klassizistische Renaissance stehen hier wieder zusammen, beide zwar als Zeugen verschiedener Vergangenheiten, doch im gemeinsamen Gegensatz zur lebendigen Gegenwart. Die Äusserung bestätigt offenbar eine der zentralen Erkenntnisse Fritz Strichs. Aber sie bleibt nicht unwidersprochen. Heine wünscht den Polen eine Stärkung ihres Patriotismus: Bald wird ihre „Poesie das Erhebungskolorit tragen, hoffentlich aber den französischen Zuschnitt verlieren und sich dem Geiste der deutschen Romantik nähern“ (VII, 205), d.h. also die nationale Vergangenheit als Dienst an der nationalen Gegenwart und Zukunft pflegen. Die Entgegensetzung der Geschichtszeiten, die das vorige Zitat nahelegte, ist schon wenige Seiten später, wenn auch allzu flüchtig, „überwunden“. Noch weiter wird der Begriff der „Romantik“ gefasst in der 1823 folgenden Rezension zweier Gedichtbände seines Freundes Johann Baptist Rousseau (VII, 218–21). Der Verfasser wird gelobt, weil er „den obersten Grundsatz der Romantikerschule“ befolgt habe und „statt nach der bekannten falschen Idealität zu streben, die besonderen Besonderheiten eines einfältiglichen, bürgerlichen Jugendlebens in seinen Dichtungen“ hinzeichnete. Das Romantische erscheint hier, im Gegensatz zum verschwommenen Allgemeinen eines epigonenhaften Klassizismus, als die echt „idealische“ Erfassung des Besonderen, in dem sich, wie in „niederländischen Gemälden", eben dadurch „wieder das Allgemeine" zeige. Dieser Hinweis auf die holländische Malweise wird uns noch beschäftigen, wenn wir, zum Schluss dieser Untersuchungen, an die Interpretation eines Jugendgedichtes Heines herantreten. Heine kennzeichnet sie als jene eigentümliche Sehweise, die „z.B. die schmutzigste Dorfschenke gleich von der Seite auffasst und zeichnet, von welcher sie eine dem Schönheitssinne und Gemüt zusagende Ansicht gewährt." Dies alles aber soll noch „Romantik", und sogar deren „oberster Grundsatz" sein; es gilt nicht etwa als jener „poetische Realismus", mit dem es doch in Wahrheit identisch ist und der in Otto Ludwigs Theorie[1] und in Heines Praxis die Romantik abzulösen berufen war. Vorläufig aber bezeichnet Heine fast alles, was ihm gerade gefällt, mit dem verschwommenen Sammelbegriff seiner literarischen Liebe als „Romantik", einschliesslich jenes poetischen Realismus selber. Nur was sein Missfallen erregt, wie der krasse Naturalismus, bleibt ausserhalb. In der „Harzreise" (1824) heisst es ablehnend: „Dieser Christuskopf mit natürlichen Haaren und Dornen und blutbeschmiertem Gesichte zeigt freilich höchst meisterhaft das Hinsterben eines Menschen, aber nicht eines gottgeborenen Heilands." Nur „materielles Leiden", nicht aber „die Poesie des Schmerzes" sei in diesem Gebilde gestaltet; sein Platz sei deshalb nicht das Gotteshaus, sondern der anatomische Lehrsaal (III, 30). In diesen scharfen Formulierungen ist zum ersten Male eine klare Grenze gesetzt, freilich nicht eine der romantischen Poesie allein, sondern der Poesie überhaupt: beide scheinen noch auswechselbare, ja: identische Begriffe zu sein (III, 512; VII, 597). Doch nicht mehr für lange Zeit! Schon der 2. Teil der „Reisebilder", 1825–6 geschrieben und im April 1827 veröffentlicht, kündigt in seinem Wortgebrauch die sich allmählich verändernde Einstellung an. Zwar wird auf der

[1] Otto Ludwig, *Shakespearestudien*, ed. Moritz Heydrich, 2.A., Halle 1901, 83 f. (1851–5), 171 ff. (1855–7), 196–200, 211–14, 217 f., 229–33, 242 f., 246 f., 251 f., 255 ff., 260–3 (1858–60); vgl. Heine III, 59, 74, 518 (1820); VI, 543 (1854).

Insel Norderney gleich zu Beginn des Südens gedacht, „wo die Sonne blühender und der Mond romantischer leuchtet“ (III, 92), doch erscheint „Wolfgang Apollo“ (97) nun nicht mehr zusammen mit A. W. Schlegel als ein grosser Vertreter der Romantik, sondern „mit seinem klaren Griechenauge“ als der Gegensatz zu „unsern kranken, zerrissenen, romantischen Gefühlen“: Goethe aber ist „gesund, einheitlich und plastisch“, ja von „naiver Unbewusstheit des eigenen Vermögens“ (99). Was 1820, im Aufsatz über die Romantik, und 1821, im Motto zu Almansor, noch zusammengebracht wurde, trennt sich hier in seine gegensätzlichen Bestandteile auf: die Schlegelsche Kunst „geht mit ihrer Zeit zu Grabe“; die Goethesche „des plastischen Anschauens, Fühlens und Denkens“ aber wird noch „späteren Zeiten“ ungeahnte Überraschungen bereiten (99). Dabei ist Heine mit seinem Werturteil hier noch ganz auf Seiten der Gesundheit – ein wenig später, schon vom 3. Band der „Reisebilder“ an (1828), wird er das Vornehme, ja: Schöpferische der Krankheit höher schätzen lernen (III, 235, 279, 395; V, 71, 219)[1] – aber jetzt deutet und formuliert er ganz wie Goethe selber. Der Olympier hat wohl kaum gespürt, dass er den von ihm nicht sehr geschätzten Heine fast wörtlich zitierte, als er am 2. April 1829 zu seinem Eckermann sagt: „Das Klassische nenne ich das Gesunde, und das Romantische das Kranke.“[2] Auch Heines Zusammenstellung des Naiven mit dem Klassischen – und also des Sentimentalischen mit dem Romantischen – hat Goethe gesprächsweise inhaltlich bestätigt (21/III/1830),[3] wiederum offenbar ohne Kenntnis des Vorgängers.

[1] Vgl. Stoessinger, XXXIX ff. und sein Register s.v. Das Kranke.

[2] *Gespräche mit Goethe*, l.c. 304; vgl. auch 311 (5/IV/1829).

[3] Ebend. 371 f.; vgl. noch 183, 206, 235, 344, 548. Siehe auch Heines Kennzeichnung eines „Gretchen“-Bildes von A. Scheffer in den *Französischen Malern* (1831): „Sie ist zwar Wolfgang Goethes Gretchen, aber sie hat den ganzen Friedrich Schiller gelesen, und sie ist viel mehr sentimental als naiv und viel mehr schwer idealisch als leicht graziös“ (IV, 28). Vgl. aber auch seine tiefe Einsicht in Goethes eigene „Sentimentalität“ (IV, 272).

Für Heine bezeichnet nun das Wort „romantisch" nicht immer nur gerade das Krankhafte, sondern den mangelnden Realitätssinn überhaupt. So tadelt seine – selbst so tief romantische!– Vorliebe für Napoleon den besiegten Kaiser wegen seines „romantischen" Vertrauens auf britische Grossmut. (III, 111).

Der Sprachgebrauch wird immer negativer. Schon im „Lyrischen Intermezzo" (1822–3) hatte ja die Ironisierung des „Philister im Sonntagsröcklein" gelautet:

> Betrachten mit blinzelnden Augen,
> Wie alles romantisch blüht;
> Mit langen Ohren saugen
> Sie ein der Spatzen Lied (I, 79),

und in der „Heimkehr" (1823–4) sprach die Selbstironie also:

> Die prächt'gen Kulissen, sie waren bemalt
> Im hochromantischen Stile,
> Mein Rittermantel hat goldig gestrahlt,
> Ich fühlte die feinsten Gefühle (I, 116),

aber der entscheidende Umbruch ist offenbar erst im Jahre 1828 erfolgt. Sein wichtigstes Zeugnis ist die Besprechung von Wolfgang Menzels Buch *Die deutsche Literatur* (VII, 244–50). Die Romantik, nun „die neue Schule" genannt, hat durch ihren Haupttheoretiker Friedrich Schlegel Goethe zum König erkoren, ist aber von ihm schlecht behandelt worden (VII, 245 f.; vgl. V, 246 ff.), und der Alte hat sich zum Alleinherrscher aufgeworfen. Bei allen internen Streitigkeiten und Stilverschiedenheiten aber – und dies ist die neue Erkenntnis Menzels, die sich Heine zu eigen macht – gehören Herr und Diener zusammen und bilden die nun zu Ende gehende „Kunstperiode". Sie aber wird gerade jetzt von der des Lebens selber abgelöst. Die Losung „Kunst und Altertum" der Goetheschen Zeitschrift, welche sich übrigens von den Romantikern abzusetzen suchte, (vgl. v, 247 f.) wird sich gegenüber der neuen Losung „Natur und Jugend“ nicht halten können (vii, 258), selbst wenn „die alten Romantiker, die Janitscharen, zu regulären Truppen zugestutzt“, die Goethesche Uniform anziehen und täglich exerzieren. (255).

Dieser Aufsatz ist das eigentliche Gründungsmanifest des „Jungen Deutschland“, längst vor seiner Gruppierung geschrieben und volle sieben Jahre veröffentlicht, bevor derselbe Wolfgang Menzel es beim Bundestag denunzieren und zu seiner Verfolgung durch die Zensur mit beitragen sollte. Mit ihm vollzieht Heine seine endgültige ideologische Abwendung von der Romantik, und auf seinen Grundgedanken kommt er immer wieder zurück (z.B. iii, 205, 304, 503; iv, 273, 519, 525). Betrachten wir, ob und wie er sich in seinem späteren Wortgebrauch auswirkt!

Die erwartete Folge tritt nicht sofort ein, dafür aber geschieht etwas anderes. In der zeitlich folgenden Schrift, der *Reise von München nach Genua* (1828) gibt es noch „romantische Sterne“ als Augen des Geliebten (iii, 240) und ebensolche Seufzer (248) oder architektonischen Zauber (260): es ist, als ob die lange romantische Gewöhnung die Sprache noch in einer gewissen Mittelschicht festhalte, zwischen dem früheren, meist positiven, und dem späteren, meist negativen Gebrauche. Dessen Gesinnung aber sucht sich schon jetzt ein neues Vehikel: nämlich das mit „romantisch“ damals fast synonyme Wort „gotisch“. Es war im ersten Kapitel des „Rabbi von Bacharach“, 1824, noch enthusiastisch verwandt worden: „gotische Herrlichkeit“ (iv, 451) und 1826, in der „Nordsee“ immerhin noch durchaus sachlich, in dem grossartigen Bekenntnis: „Nie war mir ein Dom gross genug; meine Seele mit ihrem alten Traumgebet strebte immer höher als die gotischen Pfeiler und wollte immer hinausbrechen durch das Dach“ (iii,

104).[1] Nun aber, 1828, wird polemisiert gegen die romantische Nachahmung gotischer Dome in „verjüngtem Masstabe", der „läppisch und albern" erneuern möchte den „dunkelroten Geist des Mittelalters, der geharnischt aus gotischen Kirchenpforten hervortritt", während der Anblick des ursprünglich alten „barbarischen Doms" zwar nicht unmutig, doch ernst aufgenommen wird (III, 216 f.). Noch ein Schritt weiter, und „Die Bäder von Lucca" (1829) sprechen schon von der „gotischen Lüge" (318), und nun freilich auch, in der bitteren Polemik gegen den neoklassischen und antisemitischen Grafen Platen, den „unklassischen romantischen Dichter" (339) und dessen Literatursatire „Der romantische Oedipus", mit aller Schärfe auch davon, dass er, „trotz seinem Pochen auf Klassizität, seinen Gegenstand [die Knabenliebe], vielmehr romantisch, verschleiernd, sehnsüchtich, pfäffisch – ich muss hinzusetzen: heuchlerisch" behandle (355). Der falsche Grieche hat in Heine nun endgültig den „Hellenen" erweckt, und dessen Gegenbild, der „Nazarener", wird ihm in Zukunft immer mehr mit dem Romantiker zusammenfallen (IV, 202 ff.). Sogar die Pariser Kunstbriefe „Über die französische Bühne" (1837) sprechen nun mit bisher ungehörter Bestimmtheit von den „Gemütsfaseleien der katholisch-romantischen Schule aus der Schlegelzeit" (IV, 512) und wenden sich entschieden gegen die „tollen Spiele" und die Stilmischung der „modernen Romantik" (522). Daneben tauchen allerdings auch immer wieder neutrale oder gar mild-freundliche Wendungen auf, wie

[1] In dem Buche *Zur Geschichte der Religion und Philosophie in Deutschland* II (1835) wird der Talmud, als „der Katholizismus der Juden" mit einem „gotischen Dom" verglichen, „der zwar mit kindischen Schnörkeleien überladen, aber durch seine himmelkühne Riesenhaftigkeit uns in Erstaunen setzt" (IV, 238). Ähnlich über Jacob Grimms *Deutsche Grammatik*, (*Elementargeister*, 1837, IV, 382) und die "Hugenotten" Meyerbeers (IV, 548). In der „Lutezia" I, vom 20/V/1840 erwägt – und verwirft – Heine die polemische Charakteristik Thiers als einen „kleinen Napoleon": „Ein kleiner gotischer Dom! Ein gotischer Dom erregt eben dadurch unser Erstaunen, weil er so kolossal, so gross ist. Im verjüngten Masstabe verlöre er jede Bedeutung" (VI, 172). (Vgl. Victor Hugo später über Napoléon III: „Le petit Empereur").

„romantisch wunderbar" (von der Venussage, Elementargeister, 1837, IV, 428) oder „romantische Phantasie" (534), besonders wenn von vergangenen Kunstschöpfungen die Rede sein darf, wie von Shakespeares „romantischen Lustspielen" (550 f.). Am stärksten scheint solche wieder freundlichere Haltung zur Romantik im „Atta Troll" (1841) zum Ausdruck zu kommen, jenem „vielleicht letzten freien Waldlied der Romantik" (II, 422; vgl. 400), in Wahrheit stellt sich aber gerade hier das Problem in neuer Form. Der „Atta Troll" ist bekanntlich ein liberal gesinntes, aber für die Autonomie der Poesie kämpfendes Tendenzgedicht gegen die liberale Tendenzdichtung, die jene zur Magd erniedrige. Nicht gegen den Inhalt dieser Tendenz ging Heine hier an, mit dem er vielmehr sympathisierte, sondern gegen den Missbrauch der Poesie zum blossen Dienst an einer Sache, selbst der eigenen. Aus dem Problem der Romantik, die Heine ursprünglich mit der Poesie identisch war, entwickelt sich nun das Problem: Poesie und Prosa. So heisst es im Atta Troll:

> Traum der Sommernacht! Phantastisch
> Zwecklos ist mein Lied. Ja, zwecklos
> Wie das Leben, wie die Liebe.
> Keinem Zeitbedürfnis dient es. (Kaput III)

Eine aus Heines Nachlass 1869 veröffentlichte, vom Dichter, wohl als zu prosaisch und vielleicht auch als zu kühn, verworfene erste Fassung aber fuhr hier fort:

> Sucht darin nicht die Vertretung
> Hoher Vaterlandsinteressen;
> Diese wollen wir befördern,
> Aber nur in gutes Prosa!
>
> Ja in gutes Prosa wollen
> Wir das Joch der Knechtschaft brechen –
> Doch in Versen, doch im Liede
> Blüht uns längst die höchste Freiheit. (II, 526)

III

ZWISCHEN POESIE UND PROSA

DIE grossen Stilperioden herrschen während ihrer Blütezeit so unumschränkt, dass ihre Bezeichnungen – wie „Klassik" oder „Romantik" – mit derjenigen für die Poesie selbst fast zusammenzufallen pflegen. Dem Zwang solcher Association kann sich auch der entlaufene Adept nicht gleich im Augenblick seines Abfalles entziehen. Wir haben soeben Heines romantisches Ausweichen in die Verdammung der „Gotik" betrachtet, während er die gleichsinnige „Romantik" noch einigermassen schonte. Das Tanzpoem „Der Doktor Faust" nun, das ihn von 1824 bis 1847 immer wieder beschäftigt hat zeigt neben- und miteinander, den pejorativen Gebrauch beider Wörter, „romantisch" und „gotisch", sowie den Ansatz einer damit zusammenhängenden Theorie der Poesie. Heines Thema ist hier geradezu die Entgegensetzung von „gotischem Wuste" und „griechischer Harmonie" (IV, 489); Faust und Mephistophela gelangen – vorübergehend – zu deren „klassischer Ruhe" und „realer plastischer Seligkeit", indem sie „ihre mittelalterlich romantische Kleidung gegen einfach herrliche griechische Gewänder vertauschen." (490) Das „Gotische" und das „Romantische" sind nun ganz deutlich identifiziert. Dazu aber kommt, in den „Erläuterungen" ein merkwürdiges Drittes. Von Goethe und „seinen Lehrmeistern und Wahlverwandten, ich wollte sagen . . . seinen Landsleuten, den Griechen" handelnd, behauptet Heine: diese und er, Goethe, „besassen mehr harmonischen Formensinn als überschwellende Schöpfungsfülle, mehr gestaltende Begabnis als Einbildungskraft, ja, ich will die Ketzerei aussprechen, mehr Kunst als Poesie." (VI, 509 f.) Wenn Heine noch i. J. 1847, als er diese Bemerkungen an den Londoner Theaterdirektor Lumley sandte, das Nichthellenische und Nichtklassische, also das Romantische, mit der Poesie schlechthin identifiziert, welchen heroischen Kampf um das Prinzip der Prosa muss er während seiner Emanzipation von der Romantik geführt haben! Zwar war ihm der grössere Verpflichtungsernst der Prosa gelegentlich schon in den Jahren der romantischen Jugendblüte aufgegangen.

So heisst es in der „Heimkehr“:

> Und als ich euch meine Schmerzen geklagt,
> Da habt ihr gegähnt und nichts gesagt;
> Doch als ich sie zierlich in Verse gebracht,
> Da habt ihr mir grosse Elogen gemacht. (I, 111)

Später (1831) erscheint ihm sogar die eigene Poesie selbstanklägerisch als Flucht:

> So, in holden Hindernissen,
> Wind ich mich mit Lust und Leid,
> Während andere kämpfen müssen
> In dem grossen Kampf der Zeit. (I, 203)

Gleichzeitig und gleichsinnig weiss er ironisch zu beruhigen:

> Sprühn einmal verdächtige Funken
> Aus den Rosen – sorge nie!
> Diese Welt glaubt nicht an Flammen
> Und sie nimmt's für Poesie. (II, 218)

Noch ein paar Jahre weiter, 1839, und er wird die Gedichtvorrede zur 3. Auflage des *Buches der Lieder* („Das ist der alte Märchenwald!“) ausdrücklich entschuldigen mit den bekennenden Worten: „Das hätte ich alles sehr gut in guter Prosa sagen können...“ (I, 9), aber die Durchsicht der alten Verse hat ihn sozusagen poetisch angesteckt. Ganz entsprechend dichtet er „Anno 1839“, Deutschlands mit romantischer Sehnsucht ironisch gedenkend:

> Dem Dichter war so wohl daheime,
> In Schildas teurem Eichenhain!
> Dort wob ich meine zarten Reime
> Aus Veilchenduft und Mondenschein.

Beide aber scheinen ihm nun nicht mehr als sehr schätzenswerte Substanzen zu gelten. Ähnlich wird er, mit halbem Spott, den romantischen Revolutionär Georg Herwegh nach seiner pathetischen Audienz bei Friedrich Wilhelm IV, jenem „Romantiker auf dem Throne des Caesaren“,[1] und ihrem unglücklichen brieflichen Nachspiel im Jahre 1842 sprechen lassen:

Er hat mir Beifall zugenickt,
Als ich gespielt den Marquis Posa;
In Versen hab' ich ihn entzückt,
Doch ihm gefiel nicht meine Prosa. (I, 310)

Und ein ander Mal, wiederum an Herwegh: „Nur in deinem Gedichte lebt jener Lenz, den du besingst“ (II, 169). In all diesen Versen gilt die Poesie weniger als die Prosa: jene ist nur Schein und Täuschung, und nur diese allein ist wirkliches Sein, mutige Tat und blutvolles Leben. So bleibt es bis ganz zuletzt: der Lazarus aus der Matratzengruft beklagt seine notgedrungen nur platonisch Geliebte, die Mouche, mit den antiromantischen, den poetisch-antipoetischen Worten:

Die Lotusblume erschliesset
Ihr Kelchlein im Mondenlicht,
Doch statt des befruchtenden Lebens
Empfängt sie nur ein Gedicht. (II, 51)

Hier wird die Wirkung verstärkt durch den Reim, der diesem Gedicht gegen das Dichten die abschliessende Pointe gibt, aber es ist vielleicht noch eindrucksvoller, wenn er unerwartet ausbleibt und so das Kunstmittel der Prosa in die Poesie selbst eindringt und sie gleichsam von innen her aushöhlt: wie in dem missglückten Versuch einer Theodizee, der „also“ schliesst:

Also fragen wir beständig,
Bis man uns mit einer Handvoll

[1] So nannte ihn bekanntlich David Friedrich Strauss in der durchsichtigen Verhüllung des Julian Apostata (1847), *Kleine Schriften*,[3] Bonn 1898, 105–46. Auch Heine selbst bezeichnet ihn, in „Deutschland Ein Wintermärchen“, als ein „romantisches Haupt“ (II, 436). Vgl. auch „Der neue Alexander“ (II, 173 ff.).

Erde endlich stopft die Mäuler –
Aber ist das eine Antwort? (II, 92)[1]

Die bloss assonierende Ungereimtheit der alten Hiobsfrage nach der Kreuzlast des Gerechten und dem Siegesglück des Schlechten kommt hier, wenn schon nicht in ihrer Formulierung selber, so doch in jener der Nichtantwort zu unverhüllt ehrlichem Prosaausdruck. Hierher gehört auch der bewusst selbstzerstörerische Vulgärreim, besonders häufig in „Deutschland", dem stark politischen „Wintermärchen" – Heine nennt es, bezeichnenderweise, „politisch-romantisch" (II, 425) – wie z.B.

Das ist so rittertümlich und mahnt
An der Vorzeit holde Romantik,
An die Burgfrau Johanna von Montfaucon,
An den Freiherrn Fouqué, Uhland, Tieck. (II, 436)

oder in der Werberede der Hammonia an den entlaufenen Sohn Deutschlands:

Die praktische äussere Freiheit wird einst
Das Ideal vertilgen,
Das wir im Busen getragen – es war
So rein wie der Traum des Lilgen. (II, 487)

Dieser unreine Reim ist allerdings auch keine reine Prosa, sondern ihre folgenschwere Selbstbefleckung, die Karl Kraus in „Heine und die Folgen" zu rächen suchte.[2]

Nicht mit so schrillem Misston darf dieser Teil unserer

[1] Anders natürlich liegt der Ausfall des Reims in dem „Lied der Marketenderin":

Die Kavallerie und die Infanterie,
Ich liebe sie alle, die Braven;
Auch hab' ich bei der Artillerie
Gar manche Nacht geschlummert. (II, 115),

da er hier vom Leser sofort ergänzt und richtig eingesetzt wird, ähnlich, nur im defizienten Modus, wie in der herrlichen Strophe an Suleika im *West-östlichen Divan*:

Du beschämst wie Morgenröte
Jener Gipfel ernste Wand,
Und noch einmal fühlet Hatem
Frühlingshauch und Sommerbrand.

[2] München 1910; vgl. noch zum Thema „Prosa" bei Heine Elster II, 84 f; Houben, 673, 838.

Überlegungen gerechterweise abschliessen, sondern mit einigen ernsten Äusserungen Heines zum Thema. Schon 1828, auf der Höhe seines jungen Dichterruhms, bekennt er:

> „Ich weiss wirklich nicht, ob ich es verdiene, dass man mir einst mit einem Lorbeerkranze den Sarg verziere. Die Poesie, wie sehr ich sie auch liebte, war mir immer nur heiliges Spielzeug oder geweihtes Mittel für himmlische Zwecke. Ich habe nie grossen Wert gelegt auf Dichterruhm, und ob man meine Lieder preiset oder tadelt, es kümmert mich wenig. Aber ein Schwert sollt ihr mir auf den Sarg legen; denn ich war ein braver Soldat im Befreiungskriege der Menschheit." (III, 281)

Das ist schön. Es ist auch wahr. Aber ist es ganz echt, ist es Heines ganze innere Wahrheit, über den Ernst des gefühlten – und freilich immer auch wiederkehrenden – Augenblicks hinaus? Andere Selbstbekenntnisse ergänzen dieses und wandeln es teilweise ab. Nicht lange darauf heisst es, in den „Bädern von Lucca": „Denn da das Herz des Dichters der Mittelpunkt der Welt ist, so musste es wohl in jetziger Zeit jämmerlich zerrissen werden." (III, 305).

Hier ist es gerade die dichterische Empfänglichkeit selber, die dünne Seelenhaut gleichsam, die den Kontakt zur Zeit und ihren Kämpfen ermöglicht; wer aber „von seinem Herzen rühmt, es sei ganz geblieben, der gesteht nur, dass er ein prosaisches (!), weitabgelegenes Winkelherz hat." Mögen die Schöpfungen des Dichters auch immer nur „geweihte Mittel" sein, wie es ein Jahr zuvor hiess, das Schöpfertum selbst ist mehr als ein Mittel: es ist die Bedingung einer menschlichen Anlage, einer universalen Empfänglichkeit, ohne die niemand als Freiwilliger am grossen Befreiungskriege der Menschheit teilnehmen und das „Dichtermärtyrertum" auf sich nehmen kann. Was also ist wahr für Heine, wo ist sein Standort zwischen Poesie und Prosa? Dort, wo er „das Land der Poesie" als die seelische Landschaft, „wo ich als Knabe so glücklich gelebt" (IV, 15) in die eigene Vergangenheit verlegt, oder dort, wo er seinen ganz gegenwärtigen Haupteinwand gegen

Fichtes Ansichten nicht schärfer formulieren kann, als ihn „antipoetisch“ zu nennen? (IV, 276). Bei Schelling aber ist wiederum gerade „die Poesie“ seine „Force und Schwäche“, und zwar, da er ja Philosoph ist und sein will, mehr seine Schwäche als Stärke (IV, 283 f.). Hatte der Erzaufklärer und Antipoet Friedrich Nicolai „im Grunde ... recht“ (IV, 236), wenigstens zu seiner Zeit, oder haben sich „die Umstände im heutigen Deutschland geändert, und die Partei der Blumen und der Nachtigallen ist eng verbunden mit der Revolution“ (ebenda!), so dass der Dichter mit dem Kämpfer gehen und der Menschheit Höhe für die Massen erobern kann? Und was ihn selbst anbetrifft: hatte der 40jährige Recht, der „die Zeit der Gedichte“ bei sich zu Ende glaubte: „ich kann wahrhaftig kein gutes Gedicht mehr zu Tage fördern. . .“ (IV, 304), oder aber der 57jährige, der, nach weiteren grossartigen dichterischen Leistungen, die die früheren weit hinter sich liessen: Romanzero!, sich in den „Geständnissen“ einen romantique défroqué“ nennen lässt: einen entlaufenen Romantiker also, der, bei all seinen Feldzügen gegen die Schule und deren von ihm so ergötzlich verprügelten Schulmeister, immer ein Romantiker geblieben und ihr „letzter Dichter“ geworden sei? (IV, 19).[1]

Lassen diese einander ausschliessenden fast paradoxen Widersprüche noch einen letzten Lösungsversuch zu? Keinen in der Tat, der sich weiter auf Heines direkte Aussagen stützte, auch nicht auf seine theoretischen zur Philosophie, Dichtung, Kunst und Musik der Romantik, so bedeutend sie sind: ihre Analyse würde zeigen, dass es keine einzige moderneRomantiktheorie gibt, nicht eine einzige, die sich nicht auf Heines Gedanken zurückführen lässt, was aber den meisten Literaturwissenschaftlern offenbar nicht genügend bewusst geworden ist, denn sie zitieren ihn selten, allzu selten. Da diese Theorien

[1] Zu Heines Selbsteinschätzung als letzter romantischer Dichter vergleiche noch Houben, l.c. 66 f., 178 f.

sich aber untereinander oft unausgleichbar widersprechen, bedeutet unsere Feststellung – deren Beweis vielleicht bei anderer Gelegenheit zu führen wäre – nicht nur eine Huldigung für Heines Genie, sondern auch das Zugeständnis, dass er selbst ebenso wenig eine widerspruchslose Theorie der Romantik besass wie eine widerspruchslose Haltung zu ihr – ein positiv-negativer Zusammenhang, der wohl zu erwarten stand. Doch bleibt nun noch ein letzter Weg offen. Wir besitzen ein Gedicht aus Heines romantischer Frühzeit, in der Form eines Gespräches zwischen einem romantischen Idealisten und einem aufklärerischen Realisten. Dessen genauere Analyse mag uns der Entscheidung unserer Frage einen Schritt näher bringen.

IV

DAS „GESPRÄCH AUF DER PADERBORNER HEIDE“

(I, 53 f.)

1. Hörst du nicht die fernen Töne,
Wie von Brummbass und von Geigen?
Dorten tanzt wohl manche Schöne
Den geflügelt leichten Reigen.

2. „Ei, mein Freund, das nenn' ich irren,
Von den Geigen hör ich keine,
Nur die Ferklein hör ich quirren,
Grunzen nur hör ich die Schweine.“

3. Hörst du nicht das Waldhorn blasen?
Jäger sich des Weidwerks freuen,
Fromme Lämmer seh' ich grasen,
Schäfer spielen auf Schalmeien.

4. „Ei, mein Freund, was du vernommen,
Ist kein Waldhorn, noch Schalmeie;
Nur den Sauhirt seh' ich kommen,
Heimwärts treibt er seine Säue.“

5. Hörst du nicht das ferne Singen,
Wie von süssen Wettgesängen?
Englein schlagen mit den Schwingen
Lauten Beifall solchen Klängen.

6. „Ei, was dort so hübsch geklungen,
Ist kein Wettgesang, mein Lieber!
Singend treiben Gänsejungen
Ihre Gänselein vorüber.“

7. Hörst du nicht die Glocken läuten,
Wunderlieblich, wunderhelle?
Fromme Kirchengänger schreiten
Andachtsvoll zur Dorfkapelle.

8. „Ei, mein Freund, das sind die Schellen
Von den Ochsen, von den Kühen,
Die nach ihren dunkeln Ställen
Mit gesenktem Kopfe ziehen.“

9. Siehst du nicht den Schleier wehen?
Siehst du nicht das leise Nicken?
Dort seh ich die Liebste stehen,
Feuchte Wehmut in den Blicken.

10. „Ei, mein Freund, dort seh ich nicken
Nur das Waldweib, nur die Liese;
Blass und hager an den Krücken
Hinkt sie weiter nach der Wiese.“

11. Nun mein Freund, so magst du lachen
Über des Phantasten Frage!
Wirst du auch zur Täuschung machen,
Was ich fest im Busen trage?

Der Aufbau ist klar: Die 6 Strophen 1, 3, 5, 7, 9, 11 gehören dem romantischen Idealisten (I.), der das Anfangs- und Schlusswort hat; ihm gegenüber kommt der aufklärerische Realist (R.) mit seinen nur 5 Repliken der Strophen 2, 4, 6, 8, 10 weder quantitativ noch nach deren Stellung im Plan des Ganzen auf. Heines Bewusstsein ist offenkundig auf Seiten von I. Das „Gespräch“ erschien erstmalig mit dem Titel „Poetische Ausstellungen“ in Gubitz' „Gesellschafter“ vom 12/V 1821; der Verfasser war also damals 23 Jahre alt; der Wortlaut blieb im wesentlichen unverändert ausser 11c; diese Zeile hiess ursprünglich und bis zur 5. Ausgabe „Kannst doch nicht zu Täuschung machen . . ." (I, 515–16; vgl. auch Walzels Ausgabe z.St.). Die Verwandlung dieser Aussage in eine rhetorische Frage ist also bewusste Redaktion des späteren Heine, aber nicht sehr bedeutungsvoll.

Der Wortschatz von I. ist der typisch romantische und hat zahlreiche Parallelen in Heines eigener Dichtung, die hier aufzuführen zu weit ginge: Töne, Brummbass, Geigen, Reigen, Waldhorn, Weidwerk, Lämmer, Schäfer, Schalmeien, Singen, Englein, Glocken, Kirchgänger, Dorfkapelle, Schleier, Wehmut – es ist nicht das ganze, aber etwa das halbe romantisch-idyllische Natur-Repertoire, wie es sich ähnlich in den gleichzeitigen Gedichten „Die Weihe" (1822, II, 112), „Don Ramiro" (I, 43), und anderen findet (vgl. noch I, 216 f.; II, 432, und in der Prosa: III, 32, 39, 49; IV, 348, 389 ff., 460; VII, 560).

Bemerkenswerter als solche fast selbstverständlichen Wortschatzanalogien ist der stilistische Unterschied zwischen den I.- und den R.-Strophen. Jene zeichnen sich durch eine Überfülle von adjektivischen oder adverbialen Charakterisierungen aus (fern, geflügelt leicht, fromm, fern, süss, laut, wunderlieblich, wunderhelle, fromm, andachtsvoll, leise, feucht, fest), während diese weit sparsamer mit solchen Ingredienzen versehen sind (hübsch, dunkel, gesenkt, blass, hager); das Zahlenverhältnis ist 13 (in 6 Strophen): 5 (in 5 Strophen). Dabei ist noch zu beachten, dass „hübsch" im Munde von R. eine Art ironischen Zitates der Redeweise von I. ist. Seine vier übrigen Beiwörter besitzen einen substantiellen Charakter, welcher von dem rhetorisch-sentimentalen der von I. gebrauchten scharf abweicht. Dieser Tatbestand erinnert an die Definition des romantischen Stils durch Alfred de Musset, „que le romantisme consiste en employant tous les adjectifs".[1] Die Stilübungen, die Musset dieser Feststellung vorausschickt, verwandeln Proben des „Style romaine" in den

[1] *Lettres de Dupins et Cotonet* (1836), *Œuvres Complètes*, IX, Paris 1881, 227.

„Style ordinaire“ (der mit dem klassischen Stil gleichgesetzt wird), und zwar einfach durch Weglassen der Adjektiva, ohne jeden Substanzverlust.[1] Der Unterschied, der sich so ergibt, ist dem zwischen der Redeweise des I. und der des R. bei Heine recht ähnlich. Heine und A. de Musset (1810–57) lebten gleichzeitig in Paris; ihre Bedeutung für die deutsche, beziehungsweise französische Literatur wurde gelegentlich miteinander (und mit der Byrons für die englische) verglichen, was freilich Heines Ansprüchen an den grossen Ruhm nicht genügte.[2] Wie dem auch sei, eines jedenfalls stimmt bei diesem Vergleich: auch A. de Musset's Verhältnis zur Romantik war ambivalent. Jene Stilübungen sollen seinen Abfall von ihr bezeichnen und sie lächerlich machen.

Die Einstellung des jungen Heine zu diesen von Musset 15 Jahre später verspotteten Stileigentümlichkeiten indessen war noch positiv. Das „Gespräch auf der Paderborner Heide“ folgt einem bekannten Typus; um die Wende des 19. Jahrhunderts repräsentieren ihn in Deutschland unter anderm Goethes „Erlkönig“ (1782), das Gespräch zwischen Faust und Wagner über des „Pudels Kern“ (Verse 1147–1166), jenes andere zwischen Faust und Mephistopheles über Gretchens „Idol“ am Ende der Walpurgisnacht (4183–4205), oder auch, in anderer Sphäre, Johann Peter Hebels allemannisches Gedicht „Die Vergänglichkeit“, mit dem charakteristischen Untertitel „Gespräch auf der Strasse nach Basel, zwischen Steinen und Brombach, in der Nacht“ (1803).[3] Ob Heine es kannte? Chronologisch wäre es möglich – 1820 war die 5. Auflage der „Alemannischen Gedichte“ erschienen, und Goethe hatte das grosse Publikum durch seine lobende Besprechung in der „Jenai-

[1] Ebenda, 224 ff.

[2] Houben l.c. 323. Heines ambivalente Stellung zu Musset ist aus den durch Houben's vorzügliches Register leicht zu findenden Gesprächsstücken ersichtlich; vgl. ausserdem das Schlusskapitel von *Shakespeare's Mädchen und Frauen*, v, 483 f.

[3] J. P. Hebel, *Poetische Werke*, ed. Emil Strauss, Tempel-Verlag Leipzig, o.J., 93–8. – Andere Parallelen bringt Heine selbst vii, 318 f.

schen Allgemeinen Literaturzeitung" 1804–5 schon auf die zweite nachdrücklich hingewiesen[1] – es ist aber nicht allzu wahrscheinlich. Hebels Gedicht ist eine Art umgekehrter „Erlkönig" im Dialekt: zwar ebenfalls ein Gespräch zwischen Vater und Sohn, doch mit aufklärerisch-religiöser Tendenz: es soll zugleich die Vergänglichkeit alles Irdischen lehren und die Gespensterscheu abwehren, die das Kind bei dem ernsten Thema des Gesprächs in der nächtlichen Landschaft anwandelt. Dem Vater glückt beides, und der tragische Ausgang des „Erlkönigs" streift kaum als Möglichkeit die Hebelsche Idylle. Mit Goethe gemeinsam aber hat er die Front gegen die schreckhaften Nachtgesichter. Im Gegensatz zu beiden behauptet Heines „Gespräch" die stete Beglückung durch das, „was ich fest im Busen trage", nämlich das romantisch Erschaute und Erschwärmte.

Diese positive Bewertung führt auf die Problematik der Urtypen zurück, von denen, in direkter oder vermittelter Nachfolge, all jene romantisch-realistischen Gesprächspaare abstammen: Don Quixote und Sancho Pansa. Der „Ritter von der traurigen Gestalt" war nicht zufällig „der Liebling der Romantiker", als „der Held der fixen Idee, der ganz in eigenem Traumbild Befangene, der Unsoziale, der sich dem Leben gar nicht anzupassen vermag." Fritz Strich, dem diese Formulierungen angehören, stellt die rhetorische Frage: „Wurde er wirklich von ihnen verlacht?"[2] Gewiss nicht! Aber hat Heine, le romantique défroqué, wirklich eindeutig für ihn Partei genommen, auf der „Paderborner Heide" und in späteren Jahren?

Die Gestalt Don Quixote's hat ihn immer wieder beschäftigt. Dies bezeugt er erstmalig in der „Stadt Lucca" (1830–1), wo er von der unvergesslich eindrucksvollen Lektüre des Knaben erzählt, der sich ganz mit dem Helden identifizierte: „Ich war

[1] Propyläen-Ausgabe, XVI, 277–83.
[2] *Deutsche Klassik und Romantik*, 1.A., 237.

ein Kind und kannte nicht die Ironie, die Gott in die Welt hineingeschaffen und die der grosse Dichter in seiner gedruckten Kleinwelt nachgeahmt hatte" (III, 423). Nun aber, erwachsen geworden, bekennt er: „Mein Wahnsinn und die fixen Ideen, die ich aus jenen Büchern geschöpft, sind von entgegengesetzter Art... des Manchaners; dieser wollte die untergehende Ritterzeit wiederherstellen, ich hingegen will alles, was aus jener Zeit noch übriggeblieben ist, jetzt vollends vernichten. . ." (III, 426).

Acht Jahre später nimmt Heine das Thema wieder auf, in seiner „Einleitung zum ‚Don Quichotte'", deren Wert er selbst sehr unterschätzt hat (VII, 304). Er kommt zwar auf seine früheren Formulierungen in wörtlicher Anführung zurück, aber sein Verdikt „Der Kerl ist ein Narr" befreit ihn nun nicht mehr von Don Quichottes und Sancho Pansas Verfolgung. Das seltsame Paar erreicht ihn immer dann, auf der „abstrakten Rosinante" und dem „positiven Grauchen" reitend, wenn er an „einem bedenklichen Scheideweg" angelangt ist (306). Denn er hat unterdessen erfahren müssen, „dass es eine ebenso undankbare Tollheit ist, wenn man die Zukunft allzu frühzeitig in die Gegenwart einführen will", wie wenn man „eine längst abgelebte Vergangenheit ins Leben zurückrufen wollte" (307). Dem literarisch fixierten Don Quichote einer toten Vergangenheit stellt sich der Dichter-Kämpfer somit als ein Don Quichote der lebendigen Zukunft an die Seite und entgegen.

Diese autobiographische Wendung bringt ihn, auf einigen Umwegen, zu einer für unsere Fragestellung bedeutungsvollen Position. Cervantes, Shakespeare, Goethe werden als das Triumvirat des Epischen, Dramatischen, Lyrischen gepriesen; im Lyrischen aber wird wiederum eine Unterteilung vorgenommen: „Goethe steht in der Mitte zwischen den beiden Ausartungen des Liedes, jenen zwei Schulen, wovon die eine leider mit meinem eigenen Namen, die andere mit dem Namen

Schwabens bezeichnet wird.“ Beide „haben ihre Verdienste“, aber was ist das der Heineschen Schule, im Gegensatz zur „romantisch-schwäbischen“? (III, 336) Sie „bewirkte eine heilsame Reaktion gegen den einseitigen Idealismus im deutschen Liede, sie führte den Geist zurück zur starken Realität und entwurzelte jenen sentimentalen Petrarchismus, der uns immer als eine lyrische Donquichotterie erschienen ist.“ (VII, 316) Immer? Auch zur Zeit, als wir das „Gespräch auf der Paderborner Heide“ schrieben, jenes Gespräch zwischen dem einseitigen Idealisten und seinem Sancho Pansa?

Nein und ja! Nein: in der Bewusstseinssphäre, ja: in jener tieferen Schicht, wo die Entscheidungen des Dichters zugunsten der echten Schönheit fallen, die ihrem Schöpfer seine noch verborgene Wahrheit weissagt.

Das „Gespräch auf der Paderborner Heide“ ist ein schwaches Gedicht. Alle I-Strophen sind sentimentale Mache, die meisten R-Strophen grobe Persiflage. Dieses letzte war beabsichtigt, jenes erste nicht. *Die Grundabsicht des ganzen Gedichtes aber wird vereitelt durch seine einzige echt dichterische Strophe.* Sie gehört dem Realisten und lautet:

Ei, mein Freund, das sind die Schellen
Von den Ochsen, von den Kühen,
Die nach ihren dunkeln Ställen
Mit gesenktem Kopfe ziehen.[1]

Hier durchbricht der neue „poetische Realismus“, der noch keinen eigenen Namen hat, die romantische Tendenz mit jener Kraft „niederländischer Gemälde“, die Heine fast gleichzeitig an J.B. Rousseau’s Gedichten rühmte, mit jener Kraft, die, wir wiederholen, „z.B. die schmutzigste Dorfschenke gleich von der Seite auffasst und zeichnet, von welcher sie eine

[1] Ich habe wiederholt bei anderen die Probe auf dieses mein kritisches Werturteil gemacht, da es nicht exakt zu beweisen ist. Keiner meiner „Versuchspersonen“ hat versagt: gelehrte Literaturhistoriker, selbstschaffende Dichter, junge Studenten (wenn sie zufällig deutsch verstanden) fanden die Strophe unfehlbar heraus, z.T. nicht nur unter der Suggestion des Vorlesens, sondern auch bei eigener stiller Lektüre, selbst wenn ich nicht anwesend war.

dem Schönheitssinne und Gemüt zusagende Ansicht gewährt" (VII, 215, 1823). Dieser aesthetischen Theorie wird Heine im wesentlichen treu bleiben, meist, wenn auch nicht immer, im Einklang mit der eigenen Praxis. Allerdings: „poetischer Realismus", im Sinne Otto Ludwigs, ist kein „dummehrliches" Nachpinseln der Natur (IV, 54), keine „banale Wiederholung des Lebens" (IV, 528), gegen die Heine protestierend bekennen muss: „In der Kunst bin ich Supranaturalist" (IV, 44); es geht um anderes. Nicht zufällig ist Heine zu seinen entscheidenden aesthetischen Erkenntnissen gerade in seiner Auseinandersetzung mit der „Romantischen Schule" gelangt. Manches ergibt sich ihm scheinbar ganz nebenbei, so, wenn er den alten Aufklärer und Antiromantiker J. H. Voss als „einen niedersächsischen Bauern" und Angehörigen jenes derbkräftigen, stark männlichen" Volksstammes rühmt (V, 243). Die sprachliche oder malerische Bewältigung solcher Bauern-Wirklichkeit aber – gewiss nicht ihre phantasielose und symbolfreie Abschilderung – oder jeder anderen Wirklichkeit, heisst Kunst. Daher entscheidet sich schon Heine, ganz wie später O. Ludwig, gegen „jene hochgerühmten hochidealistischen Gestalten" Schillers und für Goethes „sündhafte, kleinweltliche, befleckte Wesen." Er kann die entgegengesetzte Entscheidung gar nicht mehr verstehen und fragt ihre Anhänger rhetorisch-ironisch: „Wissen sie denn nicht, dass mittelmässige Maler meistens lebensgrosse Heiligenbilder auf die Leinwand pinseln, dass aber schon ein grosser Meister dazu gehört, um etwa einen spanischen Betteljungen, der sich laust, einen niederländischen Bauern, welcher kotzt, oder dem ein Zahn ausgezogen wird, und hässliche alte Weiber, wie wir sie auf kleinen holländischen Kabinettbildern sehen, lebenswahr und technisch vollendet zu malen?" (V, 257). Wir dürfen diesen Beispielen nun auch die Ochsen und Kühe der Paderborner Heide hinzuzählen, die "nach ihren dunkeln Ställen mit gesenktem Kopfe ziehen." Die Schönheit quand même, die nicht beabsichtigte, die antitendenziöse Schönheit dieser zwei Zeilen, sie ist es, die aus den Worten des illusionszerstörenden Realisten herausbricht, seine bewusste Tendenz zerstörend und seine unbewusste Sendung weissagend. Diese Schönheit, die eigentlich „nicht sein darf", hat uns in paradoxer Wahrheit der Entscheidung unserer Frage näher gebracht, und vielleicht nicht ihr allein. Denn ist nicht die Schönheit quand même ein grosses, vernachlässigtes Motiv der Dichtungsgeschichte überhaupt? Sie ist, z. B., zu studieren an Polonius' Abschiedsrede an Laertes, oder an Mephistopheles wider Willen herrlichen Worten:

> Wie traurig steigt die unvollkommene Scheibe
> Des roten Monds mit später Glut heran. (3851/52)

Immer sagt die Schönheit quand même etwas über das geheimste Wesen ihres Dichters aus und verrät mehr von ihm, als er will und weiss, denn, um mit Heine selbst zu sprechen: „die Feder des Genies ist immer grösser als er selber" (VII, 307). Den jungen, im Bewusstsein noch ganz romantischen Heine hat uns seine Feder als einen heimlichen poetischen Realisten zu sehen gelehrt, dessen künstlerische Praxis seiner späteren Theorie weit vorauslief. Ob er sich selbst später von diesem Tatbestand überzeugt hat? Es gibt vielleicht ein Anzeichen dafür, und wiederum ein sprachliches. Am Schluss des „Atta Troll", des „letzten freien Waldliedes der Romantik", nimmt Heine, wenn mein Ohr mich nicht ganz täuscht, den charakteristischen Tonfall des Jugendgedichtes in einer Art Selbstparodie wieder auf:

> Klang das nicht wie Jugendträume,
> Die ich träumte mit Chamisso
> Und Brentano und Fouqué
> In den blauen Mondscheinnächten?
>
> Ist das nicht das fromme Läuten
> Der verlorenen Waldkapelle?
> Klingelt schalkhaft nicht dazwischen
> Die bekannte Schellenkappe?

Ja, mein Freund, es sind die Klänge
Aus der längst verschollenen Traumzeit;
Nur dass oft moderne Triller
Gaukeln durch den alten Grundton. (II, 421)

Wieder ist es ein Zwiegespräch, wieder erscheinen die Motive des frommen Läutens, der Kapelle, aber statt des desillusionierenden „Ei, mein Freund", das der Dichter auch sonst (z. B. I, 32) für das Werk der „Entzauberung" benutzt – dieser Terminus Max Webers stammt vom jungen Heine (vgl. I, 136 f.) – erklingt diesmal das bestätigende „Ja, mein Freund!": der einstige Schwärmer und der einstige Desillusionist haben sich nun zum Dichter des „poetischen Realismus" zusammengefunden.

Dass er diesen Weg immer wieder verlor und erst nach so langem Irren fand, das mag mit seinem Verhältnis zur Wirklichkeit überhaupt zusammenhängen, und dieses wieder mit der so tief gestörten Beziehung zu seinem Judentum. Er wurde, nach unglücklicher Liebe zu zwei Cousinen, ein Don Juan wider Willen statt ein jüdischer Familienvater; er wurde, nach unglücklicher Liebe zu einer Erneuerung des Judentums, die er im „Kulturverein" so kläglich scheitern sah, ein Verkenner seines Glaubens, der viel saint-simonistischer und viel weniger „nazarenisch" ist, als er je lernte (VII, 300); er wurde, vielleicht auch deshalb zeitweise ein Romantiker, weil ihm niemand das Judentum als die klassische Religion schlechthin so gezeigt hat, wie Leo Baeck es für unsere dankbare Generation leisten durfte. Aber selbst diese Wahrheit scheint er mit seinem gewaltigen Ahnungsvermögen nicht zwar im Verstande gewusst, aber im Gemüte gespürt zu haben. Denn in seinem jüdischen – und wohl deshalb unvollendet gebliebenen – Buche, dem „Rabbi von Bacharach", wird ein Stück Erziehungsgeschichte der schönen Sara berichtet, das sie auf ihrer Flucht auf dem Rhein „wie ein hastiges Schattenspiel" nachträumt. Der Fluss schickt ihr seine Sagen empor, die sie einst gehört hat „auf dem

Schosse ihrer Muhme aus Lorch, von dem Fräulein, das die Zwerge geraubt haben, von sprechenden Vögeln, vom Pfefferkuchenland, und von verwünschten Prinzessinnen, singenden Bäumen, gläsernen Schlössern, goldenen Brücken, lachenden Nixen. . .“ „Aber,“ fährt der Dichter fort, „aber zwischen all diesen hübschen Märchen, die klingend und leuchtend zu leben begannen, hörte die schöne Sara die Stimme ihres Vaters, der ärgerlich die arme Muhme ausschalt, dass sie dem Kinde so viel Thorheiten in den Kopf schwatze! Alsbald aber kam's ihr vor, als setze man sie auf das kleine Bänkchen vor dem Sammetsessel ihres Vaters, der mit weicher Hand ihr langes Haar streichelte, gar vergnügt mit den Augen lachte und sich behaglich hin – und herwiegte in seinem weiten blauseidenen Sabbathschlafrock. . .“ Und nun wird der Sabbath geschildert, und die biblische Welt in ihrer klassischen Wirklichkeit steigt auf, mit Jakob und Rahel, und auch das Motiv der Heirat zwischen Vetter und Cousine fehlt nicht (IV, 459–61). Es ist, als ob sich hier alles zusammendränge in wenigen Zeilen: als ein Kampf der klassisch-jüdischen Überlieferung mit der romantischen Traumwelt, die zu besiegen Heine sein ganzes Leben verbrauchen musste. Aber der endliche, wenn auch erst posthume Sieg war sein: schon jenes „Gespräch auf der Paderborner Heide“ hat ihn im Zeichen der Schönheit quand même für immer entschieden.

ZUR GESCHICHTE DER ANFÄNGE DER CHRISTLICHEN KABBALA

VON GERSHOM SCHOLEM

I

Die Anfänge der „christlichen Kabbala“, das heisst: der Interpretation kabbalistischer Thesen im Sinne des (katholischen) Christentums, oder auch der Interpretation christlicher Dogmata mit Hilfe kabbalistischer Methoden und Gedankengänge, werden allgemein auf den Grafen Pico della Mirandola zurückgeführt. Als Pico 1486 – ein 23jähriger Jüngling – mit seinen 900 „Konklusionen“ oder Thesen über einen christlichen Synkretismus aller Religionen und Wissenschaften hervortrat, schloss er die Kabbala darin ein und machte sie zum Gegenstand einer grossen Zahl jener Sätze, die er in Rom zur allgemeinen Diskussion stellen wollte. Der ausserordentliche Applomb, mit dem diese Thesen vorgetragen wurden, das Paradoxe und oft schier Unverständliche an ihnen, schien nicht übel zu der erstaunlichen Behauptung zu passen, die den Humanisten und Theologen hier zuerst vorgetragen wurde: dass nämlich das esoterische Judentum im Grunde eigentlich Christentum sei. Diese Meinung ist nun freilich nicht etwa ein Beweis für eine wirkliche essentielle Affinität dieser beiden Bereiche, wenn sie auch oft genug so verstanden worden ist, und zwar nicht nur von denen, die darin etwas Positives sahen, sondern oft auch von jüdischen Kritikern der Kabbala. Solchen Gegnern war diese These der „christlichen Kabbalisten“ gerade aus den umgekehrten Motiven heraus sehr willkommen: schien sie doch auf eine Entlarvung des „Unjüdischen“, das in der Kabbala stecken sollte, hinauszulaufen. In den Schriften jüdischer Gelehrter begegnet man noch heute solchen Urteilen. In Wirklichkeit war aber diese These der christlichen Kabbalisten nichts als eine auf die Kabbala übertragene Variierung der Anschauung, die schon im 13. Jahrhundert Raymundus Martini in seinem grossen Compendium *Pugio Fidei* im Interesse der katholischen Propaganda zum Ausdruck brachte: nach ihr galt ja dasselbe von der Welt der talmudischen Aggada und des Midrasch überhaupt. Raymundus Martini, der im Lande (Katalonien) und der Zeit der ersten Kristallisation der kabbalistischen Literatur im Kreise des Nachmanides (1194 bis ca. 1270) lebte, wusste – obwohl im Interesse seiner Missionstätigkeit eine allgemeine Beschlagnahme der „Bücher" der katalonischen Judengemeinden erfolgte – nichts von der Existenz der Kabbala, die so direkt unter seinen Augen hochkam und doch unbemerkt blieb. So mussten für seine christologischen Interessen wohl oder übel die alten Talmudisten in jene unerwartete Perspektive treten, in der sie als Kronzeugen des Christentums erscheinen konnten, und eine historische Funktion übernehmen, für die sie ebenso ungeeignet waren wie die später dann an ihre Stelle tretenden Kabbalisten.

In der Tat steht denn auch der Begeisterung Pico's und der christlichen Kabbala für die jüdische Esoterik oft ein nicht weniger tiefes Misstrauen anderer Kreise, selbst unter leidlich gelehrten christlichen Hebraisten, gegenüber. Aufschlussreich ist für diese Situation das Zeugnis Johann Albert Widmanstadts (1506–57), dessen Sammeleifer man den Grundstock der wichtigen kabbalistischen Handschriftensammlung in München verdankt. Dieser katholische Orientalist hatte Gelegenheit, 1527 in Turin Vorträge eines der jüdischen Lehrer Picos zu hören, des damals im höchsten Greisenalter stehenden Dattilo, den Pico schon 1487 in seiner Apologia nennt und dessen Identität und voller jüdischer Name bis jetzt noch nicht befriedigend festgestellt werden kann. Der Name Dattilo entspricht bei italienischen Juden im Allgemeinen einem hebräischen Joab – ein in Italien sehr beliebter Vorname –, aber kein Kabbalist dieses Namens ist uns bisher aus dieser Zeit bekannt, und

Joseph Perles' Vermutung, dass wir hier einen Decknamen für den hervorragenden jüdischen Gelehrten Jochanan Allemanno (ca. 1435 bis nach 1504) vor uns haben, ist überaus unwahrscheinlich.[1] Sehr verschieden aber scheinen die Eindrücke gewesen zu sein, die die Äusserungen dieses zweifellos jüdischen Kabbalisten auf die Hörer gemacht haben! Während Pico seinen Freund Antonius Cronicus als Ohrenzeuge für ein Gespräch anführen zu können glaubte, bei dem Dattilo, der „in der Kabbala sehr bewandert war, geradezu und mit ‚Armen und Beinen' auf die christliche These von der Dreieinigkeit eingegangen sei",[2] muss Widmanstadt von der Stellung der von Dattilo vorgetragenen Lehren zum Dogma einen eher entgegengesetzten, jedenfalls aber ganz anderen Eindruck empfangen haben als Pico. Er berichtet, er habe mehrere Monate bei ihm gehört, als er in Turin auf überaus subtile Weise *arcanos de Divino auditu libros* interpretiert habe,[3] wobei unklar bleibt, ob er mit diesen esoterischen Büchern über die Lehre vom Göttlichen hebräische Texte der Kabbalisten oder andere Schriften meint. Dabei nun habe Dattilo mehrfach eine Theorie über die Chancen der Erlösung aller Lebewesen (*animantia*)

[1] Joseph Perles, *Beiträge zur Geschichte der hebräischen und aramäischen Studien*, München 1884, p. 191–3. Pico selbst sagt nicht, dass Dattilo sein Lehrer gewesen sei, sondern erwähnt nur sein Zusammentreffen mit ihm im Hause eines Freundes. Erst Widmanstadt hat dann die Nachricht – eventuell aus dem Munde Dattilo's selbst? – D. sei der (oder: ein) Lehrer Pico's gewesen, die sich an zwei Stellen seiner Schriften findet, cf. Perles, p. 181 und 185. Anagnine, *Pico della Mirandola*, Bari 1934, p. 82 bezweifelt Widmanstadts Angabe, ohne indessen Gründe anzugeben.

[2] „*Cujus rei* – der Übereinstimmung der Kabbala mit christlichen Lehren – *testem gravissimum habeo Antonium Cronicum . . . qui suis auribus cum apud eum essem in convivio audivit Dattilum Hebraeum peritum hujus scientiae in Christianorum prorsus de trinitate sententiam pedibus manibusque descendere*," Opera omnia Joannis Pici, Basel 1557, p. 124. Am Ende seiner Rede über die Würde des Menschen, *Opera*, p. 330, hat Pico denselben Satz wiederholt. Dorst heisst der Hebräer Dactylus. Dass Pico sich gerühmt hätte, Dattilo zur Anerkennung der christlichen Glaubenslehren über die Trinität erst veranlasst zu haben – wie Cassuto, gli Ebrei a Firenze nell'età del Rinascimento, Firenze 1918, p. 317 es verstand – vermag ich dem Satz nicht zu entnehmen. Unklar bleibt, ob Pico den Dattilo vorher gekannt oder erst etwa auf Grund dieses Gesprächs näheren Umgang mit ihm gesucht hat, falls wir Widmanstadts Zeugnis über Dattilus in diesem Punkte für zuverlässig halten.

[3] Perles op. cit. p. 181.

vorgetragen, die Widmanstadt folgendermassen wiedergibt und beurteilt:

„Es seien in den Eingeweiden der Erde und in den sie umgebenden anderen Elementen gewisse lebendige Samen verborgen. Diese nun gingen infolge der unermüdlichen Anstrengung dieser Welt [d.h. der Natur] und infolge der Arbeit des Aufgangs und Untergangs [des Werdens und Vergehens] durch die verschiedenen [Gestalten der] Pflanzen, Sträucher, Fruchtbäume und beseelten Wesen hindurch zuerst in die menschlichen Körper, dann in die sinnliche Seele [*anima sentiendi*] ein. Ja, nachdem eine Seele vom Himmel her [in sie] ergossen würde, würden sie schliesslich – wenn sie gleich diese [höchste Seele] nur als etwas untergeordnetes und, weil aus der Materie hervorgehend, [ihr] unterworfenes besässen – doch zu einem gewissen Anteil an der ewigen Seligkeit zugelassen. Und so werde denn von Einigen [unter den Kabbalisten] begriffen, dass dem ganzen Geschlecht der Lebewesen die Hoffnung auf Erlösung in Aussicht gestellt sei. Dies nun [fügt W. seinerseits hinzu!] habe ich deshalb zitiert, um darauf hinzuweisen, wie aus dieser Kabbala der Juden unendlich ungeheuerliche Meinungen, wie aus einem trojanischen Pferd hervorbrechend, einen Angriff auf die Kirche Christi unternehmen."[1]

An diesem Passus ist freilich alles bemerkenswert: sowohl das Zitat selbst als die Reaktion Widmanstadts, der in der Kabbala nicht so sehr eine Kronzeugin der christlichen Wahrheit als vielmehr ein trojanisches Pferd erblickt, das die christlichen Kabbalisten – so müssen wir ja wohl den Gedankengang

[1] Die bei Perles p. 186 gedruckte Stelle ist wichtig genug um im Originaltext mitgeteilt zu werden: „*Datylus Pici Mirandulani praeceptor quem ego jam decrepitum menses aliquot audivi, dicere solebat, semina quaedam vitalia in visceribus terrae aliisque eam ambientibus elementis latere quae indefessa mundi hujus contentione, atque ortus interitusque labore, per varias herbas, frutices, arbores fructus et animantia sese humanibus corporibus primum, deinde sentiendi animae insinuarent, atque postremo cum anima coelitus infusa, se ea inferiorem hanc atque e materia eductam obsequentem habueri(n)t, ad foelicitatis aeternae partem aliquam admitterentur. Itaque intelligi a nonnullis, animantium omni genere spem salutis propositam esse. Haec idcirco commemoravi, ut indicarem, ex hac Judeorum Caballa infinita opinionum portenta, veluti ex equo Trojano educta, impetum in Christi ecclesiam fecisse.*"

interpretieren – wie naive Trojaner auf ihr eigenes Gebiet des Christentums herüberziehen zu dürfen geglaubt hatten. Aus dem scheinbar so verwendbaren Werkzeug brächen aber in Wirklichkeit dann höchst monströse Lehren, die in manifestem Widerspruch zur kirchlichen Lehre über das Heilswerk Christi stünden und sie untergrüben! Widmanstadts Urteil zeigt, mindestens an diesem Punkt, ungewöhnliches Verständnis für den wirklichen Charakter der Kabbala und für die Zweideutigkeit, die in dem Unternehmen der christlichen Kabbalisten liegen musste, und besonders gar, wenn es, wie bei Pico, auf bewusstem und als positivem Wert betonten Synkretismus beruhte.

Der Widerspruch des von ihm gebrachten Zitats zur kirchlichen Lehre ist nun freilich besonders eklatant. Perles hoffte, die von ihm in einer der seltensten Schriften Widmanstadts[1] ausgegrabene Stelle würde „vielleicht einen in der kabbalistischen Literatur bewanderten Leser befähigen, die Persönlichkeit des Dattylus zu identifizieren". Diese Hoffnung muss aufgegeben werden, da es sich ja nicht um eine dem Dattilo persönlich zugehörende Lehrmeinung handelt; wohl aber können wir den Ort dieser „ungeheuerlichen" Ansicht in der Geschichte der Kabbala genau bestimmen: Dattilo trug, in nur leichter Verbrämung, die grosse Hauptlehre über den Wandel aller Dinge vom untersten Wesen bis zur höchsten Stufe der Sefiroth vor, die um 1300–25 in Spanien von Joseph ben Schalom Aschkenasi, auch Rabbi Joseph der Lange genannt, zuerst ausführlichst entwickelt worden ist. Sie bildet das eigentlich neue Element in seinem, später unter dem Namen des Abraham ben David von Posquières (Rabad) gedruckten, Kommentar zum Buche Jezirah und in anderen seiner handschriftlich erhaltenen Werke,[2] wo sie unter dem Stichwort

[1] In der Epitome des Korans „*Roberto Ketenense interprete*", die 1543 erschien und von zahlreichen *notationes* W's begleitet ist.

[2] Cf. meinen Aufsatz über die Identität des Pseudo-Rabad mit Joseph dem Langen in *Kirjath Sepher* IV (1928), p. 286–302. Die zahlreichen Manuskripte des Jezirah-Kommentars

din bne chaloph „Gesetz der allgemeinen Wandlung" oder auch als *sod ha-šelach* „Geheimnis der Transmission"[1] vorgetragen wird. Der Pseudo-Rabad zu Jezirah war in Italien um 1500 sehr verbreitet, und Dattilo kann ihn in vielen Handschriften gelesen haben. Dass alle Dinge letzten Endes an der Erlösung teilhaben, weil alle denselben Prozess der Metamorphose aller Formen innerhalb der Hyle durchlaufen, war in der Tat keineswegs die Meinung aller Kabbalisten, und Dattilo war ganz im Recht, wenn er sie nur „einigen" unter ihnen zuschrieb.

Wie aus dem oben Dargelegten ersichtlich ist, war die Wertung der Verwendbarkeit kabbalistischer Lehren zur Begründung und dementsprechend auch zur Propaganda des Christentums also durchaus nicht einheitlich. Ich möchte hier nun einiges über die Vorgeschichte dieser christlichen Kabbala bringen, das bisher nicht genügend, oder auch gar nicht, berücksichtigt worden ist. Wirklich ernste Versuche zur Diskussion der Entwicklung der christlichen Kabbala sind überhaupt erst in den letzten zwanzig Jahren angestellt worden. Eugenio Anagnine hat versucht, Pico's Ideen und Quellen im Einzelnen zu verstehen, respektive nachzuweisen,[2] und Blau hat eine Synopsis, und in gewissen Stücken auch eine genauere Analyse dieser Vorstellungen bei Pico und seinen Nachfolgern gegeben.[3] Beide Autoren, die bei ihrem Rückgriff auf kabbalistische Quellen aber aus zweiter Hand schöpfen mussten, haben jeder in seiner Weise zum Fortschritt der Forschung beigetragen; bei beiden auch ist vieles offen geblieben oder bedarf der Kritik und neuer Behandlung. Offen geblieben sind

---

liefen fast alle anonym um. Erst jüngst ist unter den Neuerwerbungen des British Museum eine italienische Hs. des 15. Jahrhunderts aufgetaucht, die das Werk mit der richtigen Autoren-Angabe enthält (Orient. 11. 791), und ist – worauf mich Herr Joseph Weiss aufmerksam gemacht hat – im *British Museum Quarterly* vol. XVI vom Januar 1952 beschrieben.

[1] Die Stichworte sind, unter völliger Bedeutungsänderung, der Bibel entnommen, aus Proverb. 31_8 und Hiob 33_{18}.

[2] Anagnine, *Pico della Mirandola*, p. 74–202.

[3] Joseph Leon Blau, *The Christian Interpretation of the Cabala in the Renaissance*, New York 1944. Hier sind vor allem fast ganz vergessene Autoren wie Riccius, Jean Thenaud und andere sehr gut herausgehoben.

vor allem auch die Fragen nach der etwaigen Vorgeschichte der christlichen Kabbala und nach den Quellen, die ihren Anhängern zur Verfügung standen. Über beides lässt sich mehr sagen, als bisher bekannt war, und einiges davon möchte ich hier zur Erörterung bringen.

II

SIND schon vor Pico christliche Interpretationen der Kabbala versucht worden? Blau lässt die Frage unentschieden.[1] Pico's

[1] Blau op. cit. p. 19: 'Some of the work mentioned may have preceded Pico . . . some may have followed.' Sowie dort: 'whatever had been done before his time, it was Pico who first attracted his fellow humanists in any considerable number to the Cabala.' In Wirklichkeit ist, soweit ich urteilen darf, *alles* was Blau selbst p. 17–18 anführt, von Pico abhängig. Vor allem gilt das für den zuerst Venedig 1518 erschienenen Traktat *de auditu kabbalistico*, der auf dem Titelblatt als *opusculum Raimundinum* bezeichnet ist, von Blau p. 117–18 aber mit Recht auf Grund des einhelligen Urteils aller neueren Autoritäten über Raim. Lull ihm abgesprochen wird, der es mit Thorndyke, A History of Magic and Experimental Science Vol. V (1941) p. 325 dem Ende des 15. Jahrhunderts zuweist. In der Tat behauptet das Buch im Innentitel auch nur, *in via Raimundi Lulli* verfasst zu sein, nicht von ihm. Die im Titel hervortretende Idee, die lullische Kunst in Parallele zur Kabbala zu setzen, stammt aber, was Blau nicht erwähnt hat, aus Pico's Apologia p. 180, wurde also zuerst 1487 publiziert, womit der *terminus post quem* für die Abfassung des Traktats gegeben ist. Pico will dort unter dem von ihm verallgemeinerten Sprachgebrauch des Termins Cabala zwei Wissenschaften verstanden wissen, die Combinatorik und den höchsten Teil der natürlichen Magie: „duas scientias . . . unam quae dicitur *ars combinandi* et est modus quidem procedendi in scientiis et est simile quid, *sicut apud nostros dicitur ars Raymundi*, licet forte diverso modo procedant; aliam . . . pars Magiae naturalis suprema.“ Es ist leicht erweisbar, dass Pico hier mit *ars combinandi* die חכמת הצירוף des Abraham Abulafia und seiner Schule wiedergibt, deren Schriften ihm zum Teil schon 1485 und 1486 bei Abfassung seiner Thesen lateinisch vorlagen: es gibt dort schon Thesen, die – wie Anagnine p. 92 leider nicht bemerkt hat – wörtlich aus einem Sendschreiben Abulafias stammen, das ihm in der lateinischen Übersetzung in Cod. Vatican hebr. 190 vorlag (so z.B. die Einteilung der Kabbala in *scientia Sephiroth et Semot*, am Beginn seiner *Conclus. Cab. secundum propriam opinionem*). Das Manuscript des Traktates *de auditu kabbalistico*, das Thorndyke in der Vaticana fand und das dort dem Petrus de Maynardis, einem Arzt in Padua (um 1520), zugeschrieben wird, soll in einer Hand des 15. Jahrhunderts geschrieben sein, was mir angesichts dieser Feststellungen doch zweifelhaft scheint. Blau ist der einzige Autor, der angibt, der Name Pietro Mainardi erscheine auf dem Titelblatt der ersten Ausgabe, die ich nie gesehen habe. In Wirklichkeit ersheint er im Kolophon der Ausgabe als Herausgeber, wie ich aus der Beschreibung eines Exemplars des sehr seltenen Buches im Catalog 147 von Davis and Orioli in London (no. 101) ersehen konnte. Dies schliesst natürlich nicht aus, dass hinter dieser Bezeichnung sich in der Tat der wirkliche Autor versteckt. Die Schreibung des Wortes Kabbala (nicht Cabala, wie durchweg bei Pico) und die phantastische Etymologie des Wortes scheinen auf noch spätere Quellen zu weisen: nach den „*modernos Kabbalistas*“ sei das Wort aus den zwei arabischen Worten *abba* und *ala*, Vater und Gott, zusammengesetzt (ed. 1601 p. 4, wo die Schreibung Kabbala ausdrüchlich als die richtige erklärt wird). Das ganze Wort bedeute auf Lateinisch: *pater abundans sapientia!*

eigene Behauptung, in seiner Apologia, er halte sich für den ersten, der „unter den Lateinern die Kabbala ausdrücklich erwähnt habe"[1] scheint nicht ganz zufällig so vorsichtig formuliert zu sein: der *explicita mentio* der Kabbala bei ihm könnte eine ihm etwa nicht verborgen gebliebene *implicita mentio* durch andere vorangegangen sein, die von ihr oder ihren Lehren sprachen, ohne das *Wort* Kabbala zu benutzen! Wenn aber selbst diese Auffassung der Stelle sich, wie ich hoffe nachweisen zu können, als richtig herausstellt, bleibt immer noch der offenkundige Selbstwiderspruch Pico's zu seiner anderen Angabe in derselben Schrift, sowie auch in „*de dignitate hominis*", wonach der Papst Sixtus IV „der dem jetzt [1487] regierenden Innocenz VIII voranging, sie [d.h. die Kabbala-Literatur] sich mit grösster Sorgfalt und Eifer verschaffte, um sie für das öffentliche Wohl unseres Glaubens ins Lateinische übersetzen zu lassen, und als er starb, waren schon drei davon übersetzt [*pervenerant ad Latinos*]."[2] Da Sixtus IV. 1484 gestorben ist, zwei Jahre bevor Pico nach Rom kam, und nichts über Beziehungen des jungen, als Wunderkind freilich früh bestaunten, Pico zu ihm bekannt ist – Beziehungen, die doch Pico grade in diesem Zusammenhang zu erwähnen jeden Anlass gehabt hätte –, so muss irgend etwas hier nicht stimmen. Man hat nun häufig angenommen, die drei Bücher (oder Bände) kabbalistischer Schriften, die 1484 schon in Rom übersetzt gewesen sein sollen, seien identisch mit den drei grossen Codices der Vaticana, Hebr. 189–91, die bei Assemanni zuerst beschrieben sind und deren Inhalt Steinschneider danach, ohne sie selber gesehen zu haben, zu bestimmen gesucht hat.[3] Als Übersetzer dieser sehr wertvollen Codices, die eine ganze kabbalistische Bibliothek in lateinischer, wortwörtlicher, Übersetzung enthalten, nennt sich Flavius Mithridates,

[1] Cf. Anagnine p. 108; Blau p. 19; sowie Giuseppe Oreglia, *Giovanni Pico della Mirandola e la Cabala*, Mirandola 1894. p. 33–8.

[2] *Opera Pici*, p. 122 und 330.

[3] Hebräische Bibliographie vol. xxi (1881), p. 109–15.

und es kann auch kein Zweifel darüber bestehen, dass uns die eigene Handschrift des Übersetzers selbst vorliegt. Dieser Mann war von 1485 an mehrere Jahre hindurch eng mit Pico als dessen Lehrer im Hebräischen und Chaldäischen liiert und spielt als solcher eine etwas geheimnisvolle Rolle in der Literatur. Seine Identität und Laufbahn sind in glücklichster Weise durch Cassuto klargelegt worden.[1] Hinter dem humanistischen Pseudonym steckt, entgegen vielen irrigen Hypothesen, die nun alle hinfällig geworden sind, niemand als der frühere sizilianische Jude Samuel ben Nissim Abu'l-Faradsch aus Girgenti, der als Christ (und Inhaber der niederen Priesterweihen) seit etwa 1467 den Namen Guglielmo Raimondo Moncada, und im Verlauf seiner reichlich abenteuerlichen Laufbahn noch mehrere andere Namen, annahm. Dieser zweifellos gelehrte und vielerart begabte Neophyt, Sohn eines uns aus mehreren Schriften bekannten sehr gelehrten Übersetzers ins Hebräische war nun in der Tat von 1477 bis 1483 in Rom, aus dem er, eines unspezifizierten Verbrechens (etwa des Judaïsierens?) angeklagt, bei Nacht und Nebel fliehen musste. Eine Zeitlang muss er dort dagegen grossen Erfolg und einen gewissen Einfluss auch im Vatican gehabt haben. Kann er Sixtus IV. die Idee einer von ihm durchzuführenden Übersetzung der kabbalistischen Schriften eingegeben haben? Unmöglich wäre das nicht.

Und dennoch scheint die ganze Nachricht bei Pico unhistorisch zu sein und ihm einfach von Mithridates im Wege des Selbstlobs erzählt. Denn die drei Codices der Vaticana, die ich selber untersucht habe, sind keineswegs für Sixtus IV, sondern für Pico della Mirandola selber übersetzt, stammen also aus der Zeit zwischen 1485 und 1489. Dass mindestens die beiden Codices 190 und 191, die die eigentlich kabbalistische Sammlung enthalten, eventuell gleich am Beginn der Beziehung der

[1] „Wer war der Orientalist Mithridates?" in: *Zeitschrift für die Geschichte der Juden in Deutschland* vol. v (1934), p. 230–36.

beiden Männer, noch vor der Ausarbeitung der 900 Thesen,[1] geschrieben sind, scheint daraus hervorzugehen, dass verschiedene der kabbalistischen *conclusiones*, auch in ihren Fehlern, sich aus ihnen erklären lassen. Umfangreiche Stücke hier gehören der Richtung Abulafias und der kabbalistischen Kombinatorik (*chokhmath ha-tseruph*) an, auf die Pico 1486 und 1487 immer wieder zurückkommt, und die er offenbar hierher kannte. Und wie so oft, lässt sich viel aus einem Fehler lernen! In den *conclusiones secundum propriam opinionem* über Zoroaster und die Chaldäer (d.h. auf Grund der sogenannten chaldäischen Orakel) heisst es nämlich: „Was bei Zoroaster unter Ziegen zu verstehen ist, versteht, wer im Buch Bahir liest, welches die Affinität der Ziegen und welches die der Schafe mit den Geistern ist."[2] Nun steht keine solche Stelle im Buch Bahir, wohl aber ist sie unter Stücken zu finden, die in einigen Manuskripten (wie Cod. München 209) auf den Text des Bahir folgen. All diese Stücke befinden sich, ohne jede deutliche Abhebung vom Bahir, und vom Übersetzer in derselben Zeile wie das Ende des Bahir begonnen,[3] am Ende der lateinischen Sammlung des Mithridates in Cod. Vatic. 191, wo Bahir auf fol. 326r. endet, aber das Zitat Pico's im fortlaufenden Text fol. 331 v in der Tat steht! Zufällig habe ich grade dies ganze Stück, zu dem das Zitat gehört vor Jahren als Specimen der Übersetzungstechnik des Flavius Mithridates publiziert.[4] Es fällt mir schwer anzunehmen, dass Pico zuerst selbständig all diese Texte studiert habe, bevor sie – und es handelt sich hier um grossenteils sehr schwierige Texte! – von kundiger Hand für ihn übersetzt wurden.

Die alten Beschreibungen dieser Codices des Mithridates bei

[1] Pico's Thesen sind im Dezember 1486 in Rom gedruckt worden, wie nach der neueren exakten Forschung Thorndyke op. cit. vol. v p. 486 feststellt. [2] *Opera* p. 104.

[3] Im Cod. Hebr. 209 in München sind die Stücke dagegen gut abgehoben.

[4] Das Stück wird in mehreren Hss. dem Isaak ben Jacob Kohen aus Soria zugeschrieben, und findet sich in meiner Ausgabe der Reste seiner Schriften in *Madda'e Ha-yahaduth* vol. ii (1927), p. 279 ff.; der von Pico zitierte Passus dort p. 283.

Bartolocci und Assemanni haben vergessen zu erwähnen, dass diese Übersetzungen sich an mehreren Stellen direkt an Pico wenden und ihn nennen, und zwar in einer ironisch-kritischen Weise.[1] Mithridates kam 1485 aus Deutschland nach Italien zurück. Wenn ihm etwa damals Pico den Übersetzungsauftrag gab, so würde das sowohl zu der Vorgeschichte der 900 Thesen passen wie auch dazu, dass der Übersetzer Pico mindestens einmal als abwesend nennt: vom Juli 1485 bis März 1486 hielt sich Pico mindestens zeitweilig in Paris auf. Da es reichlich unwahrscheinlich ist, dass Mithridates diese Werke vorher schon für den Papst übersetzt und dann für Pico mit eigens für ihn bestimmten Zusätzen und Randbemerkungen[2] nochmals abgeschrieben hätte, halte ich es für naheliegender, dass Mithridates, dem Ruhmredigkeit und Eitelkeit nichts weniger als fremd waren, dem Pico einen Bären aufgebunden hat, und der angebliche Auftrag Sixtus IV. nie erteilt, geschweige denn wirklich ausgeführt worden ist. Damit nun treten die vaticanischen Codices in genaue Parallele zu den drei von Gaffarel 1651 beschriebenen lateinischen Übersetzungen für Pico und aus dessen Besitz, die er in Venedig gekauft haben will.[3] Dass all diese Bände, von denen nur die zweite Handschrift bei Gaffarel offenbar dieselben Stücke enthält wie die eine der vaticanischen (Cod. 189), vom selben Übersetzer stammen, darf als sicher gelten. Gaffarel hat die auch hier häufigen Randbemerkungen hämischer oder kritischer Art über Pico und Mithridates offenbar missverstanden und sah hier das Werk eines

[1] So z.B. in Cod. 190 fol. 221v am Ende eines Stückes über die Sefiroth: „. . . *natura male innata que non intendit nisi ad adquirendas possessiones et bonas fortunas* (*ut mithridates*) *et voluptates sensibiles* (*ut Picus*).“ Solche freundschaftlichen Seitenhiebe finden sich in diesem Band zahlreich.

[2] Hierbei läuft sehr viel Selbstlob seiner Übersetzungskunst unter: „*pulchre transtuli*“ und überschwänglichere Äusserungen. Meistens spricht er von sich in der dritten Person. „Niemand ausser Mithridates hätte diese Stelle so gut übersetzen können, so schwierig ist sie“ und dergleichen.

[3] *Codicum Cabalisticorum manuscriptorum quibus est usus Joannes Picus . . . Index*, Paris 1651; auch am Ende des 1. Bandes von Wolfs Bibliotheca Hebraea. Ich zitiere nach der exakteren Erstausgabe.

andern Übersetzers. Vieles an der sehr dramatischen Beschreibung der Glossen dürfte auch auf die Übertreibungen des sehr wenig zuverlässigen Gaffarel zurückgehen, anderes ist sicher richtig, wie der Hinweis auf kurze eigenhändige Noten Pico's zur Übersetzung des Tora-Kommentars von Menachem Recanati, aus denen er dann viele seiner kabbalistischen Conclusionen redigiert hätte.[1]

In den vaticanischen Codices sind mir bisher keine christlichen Interpolationen aufgefallen, mit denen der Übersetzer etwa seine Texte „verbessert“ hätte (in der Art der französischen Zohar-Übersetzung des Jean de Pauly). Für unsere Frage nach den Anfängen der christlichen Ausdeutung der Kabbala und ihres eventuellen Einflusses auf Pico's berühmte und seinerzeit so „skandalöse“ These, dass keine Wissenschaft die Göttlichkeit Christi so gut erwiese wie Cabala und Magia,[2] ist aber Gaffarels Behauptung über seine Codices von Bedeutung: hätte Gaffarel wirklich wörtlich in Mithridates' Übersetzung von Recanati's Tora-Kommentar die Stelle über die Ankunft des Messias gelesen, der schon längst gekommen sei, so würden wir schliessen müssen, dass Pico's Übersetzungen schon solche tendenziösen Fehlübersetzungen enthielten![3] Eher scheint mir aber, dass Gaffarel, der diese Stelle nicht in Cursivdruck wie sonst wörtliche Zitate, sondern in gewöhnlichem Satz bringt,

[1] Während Gaffarels erster Codex den Kommentar des Men. Recanati zur Tora enthielt, der in den Übersetzungen der Vaticana fehlt, befindet sich dort Cod. 190 f.275–336, wie ich Steinschneiders Vermutung bestätigend feststellen konnte, eine Übersetzung seines Kommentars zu den Gebeten. Wie die doppelte Abschrift des Codex mit den Werken Elazars aus Worms zu erklären ist und ob die beiden Handschriften nicht etwa doch identisch sind, ist bisher nicht aufgeklärt.

[2] *Opera* p. 105. Diese These wurde von einer päpstlichen Kommission als besonders anstössig verurteilt.

[3] Gaffarel, Index p. 11: „*Jam dudum venisse asseritur in . . . parascia nona, contra pertinacissimum quemdam Callirum, qui Davidem Messiham esse contendebat.*“ Die Originalstelle bei Recanati, ed. Venedig 1545, fol. 62a hat einen ganz anderen Sinn; zudem ist von einem Angriff auf den Dichter R. Elazar Kalir dort keine Rede. Das bei Gaffarel gleich dahinter folgende Zitat aus Elazar von Worms ist keineswegs ein halb-christlicher Midrasch, sondern eine ganz harmlose aggadische Deutung einer masoretischen Bemerkung über das Fehlen des Konsonanten *Gimmel* in der Aufzählung der Könige aus Davids Geschlecht 1 Chronic 3_{10-17}.

sich der verfälschenden Paraphrase des im Urtext ganz anders gemeinten Passus schuldig gemacht hat. Aber es wird genauer Untersuchung der von Mithridates erhaltenen Codices bedürfen, um diese Frage angesichts der sehr vielen Stellen, die dort über den Messias sprechen, gründlich zu klären. Was ich von diesen Texten genauer gelesen habe, spricht eher für ungewöhnliche Treue seiner Übersetzungen als fürs Gegenteil, und für ein hohes Mass von gutem Glauben auch bei Irrtümern der Übersetzung.

III

DASS getaufte Juden wie Mithridates die ersten gewesen sein mögen, die Pico auf die kabbalistische Literatur und deren echte oder angebliche Affinität zum Christentum hingewiesen baben können, würde aus der inneren Logik der historischen Verhältnisse begreiflich sein. Und in der Tat existiert eine ganze Kette von Tatsachen, die beweisen, dass jüdische Convertiten zum Christentum schon lange vor Pico solch „christlich-kabbalistischen" Argumentationen benutzt haben: Pico war der erste Christ nichtjüdischer Abstammung, aber keineswegs der erste Christ überhaupt, der solche Gedankengänge vortrug. Die Linie dieser Neophyten-Kabbala führt dann direkt in die Jahre vor Pico's Auftreten und ist sogar durch mindestens ein Zeugnis unmittelbar mit ihm verbunden. Freilich blieb diese Art christlicher Kabbala infolge ihrer zuerst rein missionarischen Tendenz und dem Mangel an Berührung mit bedeutenden geistigen Bewegungen des Zeitalters unproduktiv, bis sie von Pico aufgenommen wurde. Aber sie hat in der jüdisch-christlichen Auseinandersetzung doch eine gewisse Rolle gespielt, deren Stadien ich hier – soweit sie mir bekannt geworden sind – verfolgen möchte.

Das älteste Zeugnis für den Übertritt zum Christentum auf Grund kabbalistischer Methoden der Exegese (nicht aber auf Grund kabbalistischer Theologumena) steht bei Abraham

Abulafia (geb. 1240). Er scheint frühere Schüler von sich im Auge zu haben, die um 1280 in Capua bei ihm studierten und dann der Apostasie verfielen. Sie waren es wohl, die das Wort בצלו im Hohen Lied 2_3 als Buchstabenumstellung von צלבו „sein Kreuz" deuteten: „sein Kreuz liebe ich", oder „im Schatten seines Kreuzes wohne ich gern," oder auch, indem sie צלוב lasen: „im Schatten des Gekreuzigten."[1]

Man hat versucht, in den letzten Jahren einen Einfluss Abulafia's auf Arnaldo de Vilanova, den berühmten spanischen Arzt und späteren Spiritualen, festzustellen. Carreras hat in sehr verdienstlicher Weise seinen 1292 verfassten Traktat *Allocutio super Tetragrammaton* vollständig veröffentlicht,[2] in welchem die Konsonanten des Gottesnamens (wie später bei Pico) im Sinn der Trinitätslehre gedeutet werden: das *Jod* auf den Vater und die Existenz eines „Princips ohne Anfang"[3] in Gott; das *Waw* auf den Sohn und ein Prinzip des Anfangs; *He* auf den Heiligen Geist als einen Geisthauch, der von den zwei ersten Prinzipien ausgesandt ist. Arnaldo, der in Barcelona bei Raimundus Martini eine gewisse Zeit Hebräisch studiert hat, legt auf die Originalität dieser seiner Spekulationen grossen Nachdruck,[4] und glaubt, mit ihrer Hilfe die Juden vom Trinitätsdogma überzeugen zu können. Er erwähnt weder Kabbala noch zitiert er jüdische Spekulationen über die Buch-

[1] Abulafia, *gan na'ul*, Hs. München 58 fol. 322v:
ובתמורה מקום הסכנה שאם העינים עוורות אינם רואות עם האור ובתמורות יוצאו ההבנות בעניינים הפכיות כמו ששמעתי אומרים שהשוטים הפכו מלת [בצלו] חמדתי וישבתי ואמרו שהיא מצורפת ומי שפירש כך אמר [בצלו של צלוב] חמדתי וישבתי ועל זה הלך [והשתמד] ··· וזה טפשות ורשע מן המוציא דברי התורה למינות·
Die Münchener Hs. ist an antichristlichen Stellen absichtlich durch Weglassung der verfänglichen Worte gekürzt. Im Buch Peliah (ca. 1350) ist der Text deutlicher ausgeschrieben (Koretz 1784 fol. 52r). Dort heisst es: „und davon liessen sich die Irrsinnigen und Toren verführen und apostasierten."

[2] In: *Sefarad*, vol. ix (1949), p. 75–105. In vol. viii hat Carreras einen einleitenden Aufsatz über Arnaldo als antijüdischen Apologeten vorausgeschickt, p. 49–61.

[3] Loc. cit. p. 88: *principium sine principio*, dem das *principium ex principio coeternum* notwendigerweise zur Seite stehen müsse.

[4] Dort p. 81.

staben des Gottesnamens.[1] Dennoch glaubt Carreras, „unzweifelhaft einen gewissen Einfluss der prophetischen Kabbala auf Arnaldo" annehmen zu dürfen,[2] speziell eine Berührung mit Abulafia's (1285 in Italien verfasstem!) Hauptwerk *'Or hasekhel*. Grade weil Carreras durch meine Ausführungen über Abulafia[3] zu seinen Annahmen angeregt worden ist, glaube ich sagen zu müssen, dass seine Hypothese einer historischen Verbindung zwischen Arnaldo und Abulafia durch den vollen Text der *allocutio* nicht bestätigt wird. Dass man von einer inneren Parallele in der Haltung der beiden Männer sprechen kann, darf in gewissen Grenzen zugegeben werden: die Neigung zur spekulativen Ausdeutung der Buchstaben des hebräischen Alphabets, um darin die *secreta majestatis, et potentiae Dei* zu entdecken, ist ihnen gemeinsam. Aber das ist eine Haltung, die ja nicht erst von Abulafia oder auch nur von den Kabbalisten zuerst eingenommen wurde. Juda Halewi's „Kusari" oder Abraham ibn Ezra's Traktate gehen von derselben, allgemein verbreiteten Anschauung aus und könnten mit demselben, ja mit mehr Recht als Anreger Arnaldo's vermutet werden. Alles, was für Abulafia's Haltung aber irgendwie *spezifisch* ist, fehlt in der *allocutio* vollkommen, und von Berührungspunkten mit den Meditationen über den Gottesnamen in dem genannten Werk Abulafia's kann ich nichts entdecken. Hätte Arnaldo dergleichen gekannt, müsste sich eine Spur davon finden, sei es auch nur, um seine eigene christologische Spekulation von der parallelen der „verblendeten Juden" abzugrenzen. Statt dessen scheint er überhaupt nichts von solchen Spekulationen über die einzelnen Buchstaben zu wissen und sagt von den Juden, *quod universaliter illius*

[1] Arnaldo gibt p. 83 die *allgemeine* Auffassung der Juden über den Sinn des Tetragrammatons und den Grund des Verbots seiner Aussprache durchaus zutreffend wider (*assuerint enim . . . rationabiliter tenent . . . dicunt . . .*), aber all dies hat überhaupt nichts mit Kabbala zu tun und war philosophischen Schriften oder einer Unterhaltung mit gebildeten Juden in Barcelona ohne weiteres zu entnehmen.

[2] Sefarad vol. viii, p. 61.

[3] In Kap. IV meiner 'Major Trends in Jewish Mysticism'.

nominis sacramentum ignorant. Um solchen Sätzen gegenüber dennoch eine geheime und verschwiegene Abhängigkeit von sehr ins Einzelne gehenden Interpretationen jüdischer Quellen anzunehmen, bedürfte es des Nachweises von irgendwelchen Berührungen im Detail, und dieser Nachweis grade ist nicht zu erbringen! So bleibt denn Arnaldo's *allocutio* zwar ihrer Gedankenstruktur nach eine merkwürdige Vorwegnahme ähnlicher christlich-kabbalistischer Spekulationen, entbehrt aber der historischen Filiation zur Kabbala hin. Dass Abulafia, der in Italien wirkte, mit den italienischen Joachiten und Spiritualen in Verbindung gestanden haben könnte, wie Baer für möglich hält[1] würde ich nicht ausschliessen; dass seine Schriften oder die seiner Schule Arnaldo bekannt gewesen seien, halte ich für unbeweisbar und überaus unwahrscheinlich.

Der erste Convertit, der sich ausdrücklich schon auf Kabbala beruft, wenn sie auch in seinem Gedankengang nur eine sehr sekundäre Rolle spielt, ist Abner von Burgos, der um 1320 als Alfonso von Valladolid in reifen Jahren (52 jährig?), zweifellos nach langen inneren Kämpfen, zum Christentum übertrat. Über ihn und die Motive seines Denkens sind wir jetzt durch F.I. Baers Forschungen, auf Grund seines umfangreichen literarischen Wirkens, näher orientiert.[2] Noch als Jude, d.h. als heimlicher Christ, schrieb er sein hebräisches, leider nur in einigen spanischen Auszügen und Zitaten erhaltenes Werk *Milchamoth Adonaj*, Buch der Kämpfe Gottes, das noch Isidore Loeb nach den Resten nicht so sehr als ein Buch der Polemik, sondern eher als „eine Art kabbalistischen Schriftwerks voll verwegener Mystik" charakterisierte,[3] und zwar wohl auf Grund der darin berichteten Visionen, in denen ihm, ganz nach Art Abulafia's, Buchstaben-Kombinationen erschienen. Baers

[1] Baer, תולדות היהודים בספרד הנצרית (1945), p. 345 (Anmerkung 70).

[2] Cf. Baer, op. cit. p. 213–32, sowie seinen deutschen Aufsatz „Abner aus Burgos" im Korrespondenzblatt des Vereins zur Gründung . . . einer Akademie für die Wissenschaft des Judentums 1925, p. 20–37.

[3] *Revue des Études Juives* vol. xviii (1889), p. 58: „Une sorte d'ouvrage cabbalistique, d'un mysticisme hardi".

Betrachtung hat, wohl mit Recht, seine Gedankenwelt demgegenüber im wesentlichen in ganz andere und der Kabbala ziemlich fernliegende Zusammenhänge und Strömungen hineingestellt. Seine Benutzung kabbalistischer Quellen ist nichts als die Fortführung der im „Pugio Fidei" systematisch angewandten christologischen Interpretation der Aggada und des Midrasch. Aber Alfonso, der den (1279 abgeschlossenen) Pugio Fidei in stärkster Weise benutzt, hat hier und da, wo es ihm geeignet schien, auch die Kabbala herangezogen, auf die er in der spanischen Version *Mostrador de Justicia* seines zuerst hebräisch verfassten umfangreichen Hauptwerks Moreh *Tsedek* mehrfach zu sprechen kommt. Ich verdanke Baer's Freundlichkeit die Kenntnis einiger charakteristischer Stellen aus der Pariser Handschrift des *Mostrador*, aus denen klar hervorgeht, dass der vor allem philosophisch durchaus gebildete Alfonso auch schon Bücher der Kabbalisten gelesen hat, die Raimundus Martini, wie oben gesagt, noch nicht in seine christliche Ausdeutung des jüdischen Traditionsgutes einbezogen hatte.

Alfonso hat in langen Erörterungen die Inkarnationslehre[1] in jüdische Quellen hineinzudeuten gesucht, wobei ihm nicht nur die rabbinische Konzeption der Schechinah und die jüdisch-gnostischen Fragmente über das *Schi'ur Komah*, das „Mass des Körpers" (der Gottheit) dienten[2] sondern auch grade die philosophische Umdeutung solcher Vorstellungen bei spekulativen Köpfen wie Abraham ibn Ezra. Der von Baer aus einer Handschrift in Parma teilweise publizierte hebräische Text nennt in diesem Zusammenhang die Kabbalisten überhaupt nicht.[3] In dem vollen kastilischen Text heisst es aber am Ende dieser Darlegungen über *Schi'ur Komah* und Inkarnation: „dies auch ist die Wurzel des Glaubens der Kabbala, der eine Gruppe einiger Juden anhängt, die sich selber Kab-

[1] Hebräisch: התלבשות

[2] Cf. meine Major Trends, revised edition (1946), p. 63–7.

[3] Siehe den Passus bei Baer op. cit. p. 217.

balisten nennen, wie das [d.h. ihre Neigung zur Inkarnationslehre!] durch ihre Bücher bewiesen wird."[1] Genau so beruft er sich bei Erörterung der Trinität darauf, dass sowohl die Philosophen wie die Kabbalisten zugäben – die einen in der Lehre von den Attributen, die anderen in der von den zehn Sephirot (*cuentas*) – dass es Einheit und Vielheit in Gott gebe, obwohl er der Substanz nach eins sei.[2] „So sagen die Kabbalisten auch, die drei Namen Ich, Du und Er umfassen die Gottheit", was etwa dafür zu sprechen scheint, dass Alfonso eine der Schriften Joseph Gikatila's (um 1300) gelesen hat, in denen diese Symbolik in der Tat entwickelt wird.[3] Er identifiziert auch schon den Metatron der alt-jüdischen Esoterik der Merkaba-Mystik mit der Person des Sohnes in der Trinität, der in seiner Inkarnation der „Gesandte" gewesen sei, wie Alfonso unter Ausdeutung einer tatsächlich bei den Kabbalisten des 13. Jahrhunderts weitverbreiteten Etymologie meint.[4] Diese ganz vereinzelten kabbalistischen Hinweise konstituieren aber bei Alfonso, dessen Hauptinteresse anderen Teilen des jüdischen Schrifttums zugewandt ist, noch nicht eine eigentliche christliche Kabbala.

In der Tat aber hat die Frage der Beziehung von Kabbala und christlicher Lehre im 13. und 14. Jahrhundert auch jüdische und der Kabbala zugeneigte Kreise beschäftigt, und es gab dort offenbar verschiedene Meinungen. Im 13. Jahrhundert

[1] In der Pariser Hs. des Mostrador f. 85r „*esta es la rayz de la fe de la cabala que tienen la conpaña de algunos judios que se nombran mecubalim segunt que se proeva por sus libros dellos*". (Fonds Espagnol Cod. 43.)

[2] ibid. fol. 118r: „[*los*] *mecubalim otorgan esto en lo disen que es dies cuentas maguera que uno en sustancia*".

[3] ibid. fol. 119, welcher Passus sich auch in dem hebräischen Ms. Parma de Rossi 533 fol. 21r befindet, wo es heisst: ואומרים אני והוא הושיעה נא ועל דעת המקובלים אני והוא ואתה כוללים את האלהות „*E asi dicen los mecubalim que estos tres nombres yo e el e tu encieran la divinidad.*" Dies steht in der Tat in Joseph Gikatila's שערי אורה (1715) fol. 108r.

[4] Baer teilt Korrespondenzblatt p. 33 Abners Erklärung des Metatron von einem angeblichen griechischen Wort Matater (lies: Metator) im Sinn von ‚Gesandter' mit. Diese Erklärung konnte A. z.B. in Nachmanides' Kommentar zu Ex. 12, 12 finden שמעתי כי שליח בלשון יון מטטור. Diese Bedeutung scheint aus dem '*Aruch* s.v. מטטור erschlossen worden zu sein, in Verbindung mit der Tatsache, dass Ex. 23, 20 ja auf Metatron gedeutet wurde.

tritt in vielen kabbalistischen Abhandlungen die Meinung auf, Metatron sei zwar auch, wie in den Texten der Merkaba-Mystik, ein Engel, zugleich aber stelle der Name unter bestimmten Umständen mehr dar, und sei als ein Symbol der Schechinah selber anzusehen. Diese Symbolik, die christologischen Deutungen wie bei Abner von Burgos entgegenzukommen schien, wurde am Ende des 13. saec. von einem in Deutschland lebenden Kabbalisten in seinem Kommentar zu den Fragmenten des alten *Schi'ur Komah* lebhaft angegriffen. Der Autor erklärt, die Anhänger dieser Identifikation der Schechinah mit dem in den Merkaba-Büchern auch als *na'ar*, Jüngling oder Knabe, bezeichneten Metatron machten sich der Häresie schuldig und hätten sie von den Christen übernommen.[1] „Und das ist die Behauptung der Nichtjuden, und mit Bezug hierauf irren die Christen und sprechen vom Vater, Sohn und Heiligen Geist und alles haben sie aus der Konsequenz dieser [Meinung] genommen. Und das ist das erste, worüber Gott den Mose gewarnt hat [nach der talmudischen Deutung[2] von Exodus 23_{21}]: denke nicht, dass er [Metatron] Gott ist. Und alle Philosophen greifen diese Sache auf und in Konsequenz davon behaupten sie irrigerweise, dass all diese [Lehren der Kabbalisten über die] zehn Sephiroth von den Nichtjuden herkämen, aber dem ist, gottbewahre, keineswegs so."[3] Die Lehre von der Trinität wäre also darnach aus einem,

[1] Vergl. über diesen wichtigen Kommentar und dessen mutmasslichen Autor Mose, Sohn des in Würzburg lebenden Eliezer ha-darschan, mein hebräisches Buch über die Anfänge der Kabbala, ראשית הקבלה (1948) p. 195-238. Der vollständige Text der Stelle dort p. 202. Der Copist hat aus Vorsichtsgründen, wie so oft in Handschriften, das Wort אדום „Christenheit" durch das im Zusammenhang offenkundig sinnlose ישמעאל Ismael (d.h. der Islam) ersetzt, obwohl er im nächsten Satz dann doch von Edom spricht. Der Hauptsatz lautet:
אם כן ח״ו יש קיצוץ בנטיעות ואוי להם כי לא לקחו הדבר אלא מישמע׳ וזהו מה שאומר׳ אומות העולם ועל זה טעו אדום ואומר׳ מן האב והבן ו[רוח] הקדש והכל לקחו מכח זה.

[2] In b. *Sanhedrin* f.38[b].

[3] Das Hebräische ist zum Teil unklar, und die Stelle scheint in sich widerspruchsvoll. Am Schluss folgt gar noch das zum Vorhergehenden überhaupt nicht passende: „wir aber nehmen an, dass die Sephirot Metatron heissen", וק׳ [וקיימא] לנו שהספי׳ נקר׳ מטטרון. Irgendwo ist der Text korrupt.

von einigen Kabbalisten später dann geteilten, Irrtum über den göttlichen Charakter des „Knaben“ Metatron entstanden.

Während hier einige Kabbalisten von einem Anhänger der Kabbala selber der angeblichen Übernahme christlicher Irrtümer angeklagt werden, tritt dann auch die umgekehrte Ansicht auf, dass nämlich die christlichen Dogmen der Trinität und Inkarnation aus dem Verfall und Missverständnis an sich wahrer kabbalistischer Sätze entstanden seien. Als sich mitdem 14. Jahrhundert die Ansicht vom hohen Alter der Kabbala bei vielen Juden zu verbreiten begann, lag für deren Anhänger die Folgerung nahe, Jesus und seine Schüler seien nicht nur Magier und grosse Zauberer gewesen – wie ja schon in den ältesten Texten des *Toldoth Jeschu*[1] – sondern wirklich Kabbalisten. „Nur eben sei ihre Kabbala voller Fehler gewesen.“ Diese These, die also ein jüdisches Gegenstück zu der der christlichen Kabbala bildet, nur eben mit umgekehrter Wertung des Verhältnisses, muss von 1350 an in jüdischen Kreisen vorhanden gewesen sein, wenn nicht vorher. Der spanische Gelehrte Profet Duran erzählt in seinem 1397 verfassten, dem Chisdaj Crescas gewidmeten, antichristlichen Werk „Schmach der Christen“, dass er in seiner Jugend diese Meinung sowohl von einem deutschen Talmudisten wie auch von mehreren Anhängern der Kabbala vernommen habe.[2] Er selber habe dann bei der Lektüre der christlichen Bücher diese Annahme bestätigt gefunden, indem Johannes und Paulus die kabbalistische Symbolik der Sephiroth, besonders von *Tiph'ereth* und *Malchuth*, missverstanden und auf die Lehre vom Sohn, vom Logos und vom heiligen Geist übertragen hätten. „Die Lehre von der Trinität, die sie irrigerweise in der Gottheit

[1] Vergl. die pseudo-aramäischen Fragmente eines hochmittelalterlichen Textes bei Louis Ginzberg, *Genizah Studies* vol. 1 (1928), p. 324–338.

[2] In Adolf Posnanski's Edition des כלימת הגויים in הצופה vol. iii p. 143, im Kapitel über die Trinität: שמעתי בזמן הבחרות בהיותי בישיבת רבותי מאשכנזי אחד תלמודי וגם כן שמעתי מאנשי חכמת הקבלה שישו הנוצרי ותלמידיו מקובלים היו אך שהיתה קבלתם משובשת ובחלק המעשיי מהחכמה ההיא עשה מה שעשה מהעניינים הזרים היוצאים מן המנהג הטבעי·

annehmen, ist bei ihnen aus ihrem Fehlgehen in dieser Wissenschaft [der Kabbala] entstanden, nämlich aus der kabbalistischen Annahme der drei Lichter, des Urlichts, des puren und des strahlenden Lichts . . . so wie ihre Lehre von der Inkarnation möglicherweise aus dem ‚Mysterium der Einkleidung' [der Engel und Seelen in Körper], von dem die Kabbalisten reden, entstanden ist."[1]

Es bedurfte also nur einer Umkehrung der Wertung – über die (falsche) Chronologie waren sich beide Lager ja noch durchaus einig, da auch die Christen die Kabbala noch lange für vorchristlich hielten! – um aus der im orthodox-jüdischen Lager vertretenen Meinung Thesen der christlichen Kabbala hervorgehen zu lassen. Die Lehre von den drei Lichtern, die aus En-Soph in die erste Sephira strahlen, wurde um 1250 in einem, dem Haj Gaon unterschobenen, Responsum zuerst vertreten und drang dann weithin in der kabbalistischen Literatur durch.[2] Von den christlichen Kabbalisten des 17. Jahrhunderts wird sie, ohne ihre Details zu berücksichtigen, mit der christlichen Trinität genau so in Parallele gesetzt wie von Profet Duran.[3] Ob nun etwa diese jüdische Auffassung ihrerseits aus der christlichen Interpretation des Sachverhalts durch getaufte Juden, wie sie schon Abner-Alfonso bietet, als polemische Umkehrung entstanden ist, lässt sich nach den bisher bekannten Quellen nicht ausmachen. Unmöglich scheint es mir durchaus nicht.

[1] Dort p. 144: וטעות השילוש אשר הם מניחים באלהות יצא להם ממה שהשתבשו בחכמה ההיא כי הם הניחו אור קדמון ואור צח ואור מצוחצח׳ ושיבשו מאלה השלשה שהם דבר אחד על האמת העשר ספירות (Das Ende des Satzes ist verderbt?) Die Lehre der Kabbalisten stimme, heisst es dort weiter, mit der der Philosophen von den Attributen des obersten Prinzips überein, dass diese keine Wesensattribute seien, wofür die Christen ihre Personen in der Trinität hielten! So zeige sich denn, dass jener deutsche Talmudist die Wahrheit gesprochen habe. Dann folgt: וגם בענין ההגשמה [incarnatio=] איפשר שיאמר שהשתבשו בו מסוד הלבוש אשר יאמרו בעלי חכמת הקבלה·

[2] Vergl. meine Ausführungen in ראשית הקבלה p. 171–3.

[3] So in der *Introductio in Cabalam* des Grafen Carlo Montecuccoli, Modena 1612, p. 24 bis 26, offenbar aus Cordovero's 1592 erschienenem *Pardēs Rimmōnīm*, wo diese Lehre von den 3 Lichtern sehr ausführlich behandelt ist. Die betreffenden Texte des Pseudo-Haj waren Pico, Riccius und Reuchlin nicht bekannt.

Im 15. Jahrhundert macht sich nun solche Apostatenkabbala durch eine Reihe christlich-kabbalistischer Fälschungen bemerkbar, die im Unterschied zu Alfonso, der echte Texte auf seine Weise interpretiert, mit Erfindungen da nachhalfen, wo die echten Quellen nicht deutlich genug in die gewünschte Richtung wiesen. Die Zeugnisse dafür gehören in die Jahre, die Pico's Auftreten unmittelbar vorausgehen. 1450 verfasste der, nach Baer über ausgezeichnete Kenntnis der jüdischen Literatur verfügende, Maranne Pedro de la Caballeria[1] sein Werk „*Zelus Christi*", das der Propaganda unter Juden und Sarazenen dienen sollte. Hier nun findet sich, aramäisch und in lateinischer Übersetzung, zum ersten Mal eine trinitarische Erklärung in christlicher Terminologie über das Trishagion in Jes. 6_3, die als Zoharzitat erscheint: „Heilig – das ist der Vater; heilig – das ist der Sohn; heilig – das ist der heilige Geist."[2] Dieses Zitat kommt auch in späteren Fälschungen dieses Kreises vor und hat durch sie dann weite Verbreitung gefunden. Ja es ist sogar auf einer Marmortafel im Domhof von Passau verewigt, wo es die Unterschrift R. Simeon Jochai F [ilius]. trägt. Die Annahme Obermayers,[3] die Tafel sei noch vor der 1477 erfolgten Vertreibung der Juden aus Passau „zu Bekehrungszwecken" dort angebracht worden, würde einen ungewöhnlich merkwürdigen Beleg für die frühe Verbreitung der Fälschung liefern, die ja damals noch in keinem Buch gedruckt war. Ich würde eher annehmen, dass die Tafel aus dem 16. Jahrhundert stammt, da von 1516 an dieses Zitat

[1] Über ihn bei Baer op. cit. p. 469–70.

[2] *Zelus Christi*, ed. Venedig 1592 fol. 34: „*Scribunt Judaei antiqui, qui dicuntur mecubalim (quod est apud eos dicere: qui sciunt scire divina) in quodam libro vocato Cefer Azohar, quem attribuunt Rabbi Simeoni Beniohay qui liber est in regno Castellae apud peculiares Judaeos. Et dictus liber scribit et glossat fere totam bibliam et est liber magni voluminis et magnorum secretorum apud Judaeos. Et cum est in medis c.6 Isajae dicit: Sanctus David Abba* [lies: *da abba*, דא אבא im Aramäischen] *quod est dicere: Iste est pater. Sanctus Dabera . . . iste est filius. Sanctus da Ruha de Cudsa, quod est dicere: iste est Spiritus Sanctus.*" Ferner sagt der Autor dort weiter, er habe nicht das ganze Buch Zohar gesehen, sondern nur ein Heft (quaternum), aus dem er noch die (im Zohar an vielen Stellen vorkommende) Etymologie von *Bina* als *ben ya*, fillius Dei, anführt.

[3] Jacob Obermayer, *Modernes Judentum im Morgen- und Abendland* (1907), p. 36–7.

unter Simon ben Jochajs Namen im Druck bekannt war. Jedenfalls aber haben wir im *Zelus Christi* den Beweis, das 35 Jahre vor Pico in Spanien christlich-kabbalistische Erdichtungen im Umlauf waren. Im Text des Zohar, auch in vor 1490 geschriebenen Manuskripten, steht nichts davon.

IV

DAS Zitat bei Pedro de la Caballeria wirft aber Licht auf die Pseudepigraphen, die Paulus de Heredia (aus Aragonien), in seinem zuerst 1482 in Florenz gedruckten Büchelchen in die christliche Welt hinausgeschickt hat. Zeit und Ort dieser Publikation sind sehr lange unbekannt geblieben.[1] Grade sie machen es aber meines Erachtens überaus unwahrscheinlich, dass Pico, den die hier behandelten Dinge brennend interessieren mussten, keinerlei Kenntnis von ihr gehabt haben sollte. Dass er sie nicht nennt, kann ja sehr wohl darauf zurückzuführen sein, dass seine jüdischen Bekannten – und vielleicht auch die ex-jüdischen wie Flavius Mithridates, der Fälschungsmethoden verschmäht hat – ihn von der Unechtheit dieser Texte überzeugt haben, in denen Mischna-Lehrer, deren Chronologie wüst durcheinander geht, die Sprache des Nicänischen Glaubensbekenntnisses reden.

Diese *epistola de secretis* (im Titel) oder *epistola secretorum* (im Text) gibt sich als die von Heredia angefertigte Übersetzung aus dem אגרת הסודות genannten hebräischen Text zweier Briefe, „deren Autorität die Juden nicht abzuleugnen wagen" (*quarum auctoritatem judei negare non audent*). Neumia filius Haccanae, d.h. der in der kabbalistischen Literatur schon als „Autor" mehrerer Pseudepigrapha geltende Tannait Nechunja ben Hakkana schreibt an seinen Sohn,

[1] Ein Exemplar dieser, offenbar überaus seltenen Ausgabe der *Epistola de Secretis* befindet sich in Neapel, wie A. Freimann in seinem kurzen Aufsatz über Paulus de Heredia in der Festschrift für Jakob Guttmann (1915), p. 207 nachgewiesen hat. Ich habe das Exemplar der um 1487 in Rom erschienenen zweiten Ausgabe benutzt, das die vaticanische Bibliothek besitzt (Stampa Rossiano 1217).

und der Sohn an den Vater. Der erste Brief behandelt acht Fragen über biblische Geheimnisse in Verbindung mit der Messianologie, meistens mit einer Nachschrift (*postilla*) des Übersetzers, der zweite die Genealogie des Messias. Überall werden noch zwei weitere Schriften zitiert: ein Buch Galerazaya – in einem Wort statt *Gale razaya* גלי רזיא – oder *secretorum revelator* von Rabbenus (!!) haccados, dem Redaktor der Mischna, der die acht Fragen des römischen Konsuls Antoninus beantwortet, und ein Buch „mechar“ oder *mechkar hasodot hoc est investigatio secretorum* des Symeon filius Johai, also des angeblichen Autors des Zohar.[1] Formeln und Anekdoten über Begegnungen mit dem Propheten Elias ahmen dabei offenkundig die kabbalistischen Werke *Zohar* und *Kana* oder *Pelia* nach. In der fünften Frage erzählt Rabbi Simon ben Jochai, wie er, als er unter Gebeten den Berg Garizim bestieg, den Elias getroffen hätte, und berichtet seine Gespräche mit ihm auf dem Berg, seine Vision der Engel, und die ihm dort gewordenen Offenbarungen über den Sohn Gottes und seine messianische Sendung. Die Rahmenerzählung sowie der Stil des Dialogs ahmen sehr genau die ganz entsprechenden Anekdoten im Buch *Pelia* nach, dessen Autor auch Wanderungen zum Berg Garizim kennt.[2] In einem, zum sechsten Punkt, gebrachten Zitat wird eine für den Zohar typische Formel bei der Eröffnung eines Vortrags פתח ר' ייסא ואמר nachgeahmt, nur dass statt des R. Jessa im Zohar nun ein Rab Isajas im lateinischen Text spricht. Ein anderes Mal erscheint dem Simon ben Jochaj der Prophet Elias, als er in der Höhle Machpela betet. Während diese Rahmenerzählungen

[1] Fast das ganze Büchelchen dürfte in seinem sachlichen Inhalt in den zahlreichen Zitaten in P. Galatino's „*De arcanis catholicae veritatis*“ exzerpiert sein, durch die es seit 1518 dann ziemlich weithin bekannt geworden ist. Galatin – ich zitiere nach der Ausgabe von 1603 – ergeht sich col. 81 in phantastischen Ausführungen über die Seltenheit des nichtexistierenden Buches גלי רזיא „*rarissimus ist, et qui eum habent, propter mysteria Christianae fidei in eo contenta, ipsum penitus occultant, unde quidam eorum illum a nobis confictum esse.*“

[2] Vergl. den vollständigen langen Text bei Galatino col. 364–6, sowie dort col. 406, 487 und 549.

zu einem hebräischen Original zweifellos sehr gut passen und auch durchaus stilgetreu wirken, sind die christologischen Darlegungen schon schwerer ins Hebräische zurückzudenken. Aber auch hier fügen sich die numerologischen Stücke über den Zahlenwert verschiedener Worte (Jesu, Mariam, *Brith* und dergl.) durchaus natürlich in einen hebräischen Rahmen ein. Die vollständige Missachtung der Chronologie teilt der Autor mit weniger sonderbaren Anhängern der Kabbala und dem Zohar selbst, wenn auch seine Inkonsistenzen ihm selber gehören: Nehunja schreibt den viel späteren Redaktor der Mischna aus, und alle zusammen leben mehrere Jahrzehnte vor der von ihnen in allen Details vorausgesehenen Geburt und Laufbahn Jesu.

Der Autor dieser „Übersetzungen" war, wie schon seit jeher bekannt ist,[1] ein aragonischer Jude, der, am Anfang des 15. Jahrhunderts geboren, um die Mitte des Jahrhunderts zum Christentum überging. Die christologischen Pseudepigraphen sind also wohl – vielleicht wirklich zuerst auf Hebräisch – in Spanien um 1460–80 von ihm oder einem gleichgestimmten Freunde verfasst worden: nach der Art, wie er in den *postillae* zu den *petitiones* sich in der ersten Person äussert und weitere Zitate bringt, darf man ihn wohl für den Autor des Ganzen halten. Die von Pedro de la Caballeria zitierte Zoharstelle hat er nun fol. 6^v als dem Targum Jonathan zu Jes. 6_3 entstammend,[2] dagegen führt Paulus de Heredia 6^r eine neue Stelle des *Rabbi Symeonis filii Johai in libro qui scribitur zochar* (!) *super textum Deuteron. cap. XI Audi Israhel etc.* an.[3] Und

[1] Vergl. Graetz, *Geschichte der Juden* Band VIII (1864), p. 231–2.

[2] Hierher stammt (ohne Quellenangabe!) das Zitat bei Galatino col. 42, wo der Einwand des Gesprächspartners, die modernen Juden leugneten die Existenz eines solchen Passus im Targum Jonathan, mit der Behauptung Galatino's widerlegt wird, er wäre von den älteren Juden aus den Codices getilgt worden, er selber habe aber einen solchen Codex gesehen! „*In vetustissimis tamen libris, qui rarissimi sunt, ita prorsus habetur, ut ego retuli. Quorum ipse unum vidi, cum esse Licii, qua tempestate Judaei ex toto regno Neapolitano, iussu Regis Catholici expellerentur* [d.h. also 1510]. *Et ille quidem hoc loco sic omnino habebat, uti ipse retuli.*"

[3] Dies alles auch (ohne Quellenangabe) bei Galatino col. 41, der nur ein paar Vocabeln geändert und einen Satz etwas umgestellt hat.

diese stellt sich als eine bewusste christliche Interpolation der echten Stelle des Zohar III, 263a dar, die aber gar nicht ungeschickt angebracht ist. Der Interpolator hat einen echten Anfang, in dem der erste der drei Gottesnamen im *Schma' Israel* in der Tat auf die Sephira *Chochma* als „Vater“ gedeutet wird, mit einer trinitarischen Fortsetzung über den Sohn und Heiligen Geist versehen, wobei er eine weitere Stelle (III, 297a) hineingearbeitet hat, in der sowohl der heilige Geist als kabbalistisches Symbol wie auch eine dreigeteilte Schlussformel vorkommt, die in dem nun künstlich hergestellten Zusammenhang sich ausgezeichnet ausnimmt![1] Dass hier der lateinischen Wiedergabe wirklich ein in der Sprache des Zohar geschriebenes Original zugrunde lag, geht aus den gebrauchten Wendungen klar hervor, und zweifellos ist dies „Zitat“ mit mehr Intelligenz angefertigt als die aus dem ganz und gar erfundenen *Gale Razaya*.

Das Wort Kabbala kommt in Heredias Schrift nicht vor, obwohl der Sache nach von diesem Gebiet gehandelt wird. Eine Umschreibung des gemeinten Begriffs gibt Paulus de Heredia in seiner dem spanischen Gesandten (in Rom oder Florenz?) Don Enigo de Mendocza (sic!)[2] gewidmeten Vorrede: *Habent siquidam judaicae disciplinae divinarum rerum perspicuam veritatem quae a sanctissimis patribus vetustis cognita atque explicata est et a prophetis diu ante anunciata.* Diese jüdische Disciplin über die göttlichen Dinge, die von den Erzvätern

[1] *Audi israhel ait rabbi ibba* [ר׳ ייבא wie es in der Tat in den Handschriften statt des ר׳ ייסא der Editionen steht] *hic est israhel antiquus. Adonai id est deus principium omnium rerum, antiquus antiquorum, hortus radicum et omnium rerum perfectio et dicitur pater. Elohenu id est deus noster profunditas fluminum et fons* [von hier beginnt die Fälschung!] *scientiarum quae procedunt ab illo patre et filius vocatur. Ait aut rabbi symeon: hoc archanum filii non revelabitur unicuique quousquam venerit messias ut ait Isaias cap. XI Quia repleta erit terra scientia dei sicut aquae maris operientes. Adonai id est deus hic est spiritus almus* [Galat.: sanctus] *qui a duobus procedit et vocatur mensura vocis. Unus est ut unum cum altero concludat et colliget. Neque enim alius ab alio dividi potest. Et propterea ait Scema idest congrega israhel, hunc patrem et filium et spiritum, eumque fac unam essentiam unamque substantiam quia quidquit est in uno, est in altero. Totus fuit et totus est, totusque erit.*

[2] Dies ist Inigo Lopez de Mendoza, Marquis von Santillane; cf. Didot, Nouvelle Biographie genérale vol. xxxiv, p. 945.

und Propheten herkommt, ist eben, im Sinnes eines spanischen Juden im 15. saecul., die Kabbala. Aus diesem Sachverhalt erklärt sich nun die präzise Formulierung Pico's, auf die ich oben am Anfang des zweiten Abschnitts hingewiesen habe: Da er die fast unmittelbar vor seiner Aufnahme kabbalistischer Studien in Florenz gedruckte Schrift Heredia's kannte, in der die Kabbala *implicite* erwähnt ist, sagt er von sich, er sei der erste, der auf Lateinisch von ihr in *explicita mentio* gehandelt habe.

Ja, es existiert sogar ein weitergehendes Zeugnis über die persönliche Bekanntschaft Pico's mit Heredia, der sein Lehrer gewesen sei. Die *Epistola de secretis* wurde zuerst 1516 von August. Justinian, Bischof von Nebia, in den Glossen zu seiner Genuenser Psalmenpolyglotte ausführlich zitiert. Justinian, der (zu Psalm 67) die epistola ein überaus seltenes Büchelchen nennt, von dem in ganz Europa vielleicht nur ein Exemplar vorhanden sei, hatte sogar einen hebräischen Text der ersten *petitio* vor sich, den er mitteilt. Dieser Text ist aber keineswegs das angebliche Original, das Heredia übersetzt haben will, sondern erweist sich durch seine wilden Latinismen als Rückübersetzung aus dem Lateinischen.[1] Aus der Psalmenpolyglotte und nicht aus dem ihm unbekannt geliebenen Originaldruck, floss ersichtlich auch das eine Zitat aus dem אגרת הסודות, das Reuchlin 1517 offenbar in Eile noch ins Ende seiner *de arte cabalistica libri tres* hineingearbeitet hat,[2] wo sonst keine erdichteten Zitate benutzt sind.

Als aber Pietro Galatino diese Texte breit und nachdrücklich in seinen „Geheimnissen der katholischen Wahrheit" ausnutzte, wurden sie alsbald von Gegnern Galatins angegriffen,

[1] Für *ea occule* (in Galatin col. 81 voller: tu autem ea fortiter occule, wie bei Justinian) steht im Hebräischen das barbarische ואתה חזקם בסוד, das eventuell auf einen Rückübersetzer mit deutscher Muttersprache hinweist, der wortwörlich „*halte sie* geheim" übersetzte!

[2] Ed. 1603 col. 762, über den 12–buchstabigen Gottesnamen, der aus dem Tetragrammaton fliesst, und nichts anderes sei als die Trinität אב בן ורוח הקדש (zwölf Konsonanten). Blau, op. cit. p. 59 hat nicht erkannt, dass dieser ganze Passus über den Namen von 12 und 42 Buchstaben aus dem Buch des Paulus de Heredia stammt.

die erklärten, er selber oder ein anderer Christ habe die Zitate gefälscht. In einem handschriftlich erhaltenen Brief an Papst Paul III. verteidigt sich Galatin gegen diesen Vorwurf und nennt hier nun „Paulus Heredia, den Lehrer des Grafen Joh. Pico von Mirandola“ als seine Quelle und erklärt, dass Heredia selber die Schrift zum Druck befördert habe.[1] Galatins Zuverlässigkeit ist leider nicht so gross, dass wir diese wichtige Angabe auf sein Wort allein annehmen dürften. Sie würde eine, bisher ganz übersehene, direkte Verbindung Pico's mit einem Anhänger der aus Spanien kommenden judenchristlichen Kabbala beweisen. Bis nähere Beweise für diese Angabe vorliegen, glaube ich bei dem oben gewonnenen Resultat stehen bleiben zu sollen. Denn grade die weiteren, von Kleinhans entdeckten, handschriftlichen Mitteilungen Galatins über diese *epistola secretorum* zeigen, dass nicht viel Verlass auf seine grossspurigen Angaben ist. In den 30er Jahren des 16. Jahrhunderts bereitete der schon 70 jährige Galatin einen Neudruck der offenbar unauffindbar gewordenen Schrift Heredia's vor, auf Anregung des Paulus Capisuchi, Bischof von Nicastro. Das Druckmanuskript dieser, nicht zustande gekommenen Edition, ist mit einem Vorwort Galatins an den Bischof zum Druck geschickt worden und im Vatican erhalten.[2] In der Widmung

[1] Die Stelle ist von Pater Arduin Kleinhans in seinem grossen Aufsatz über Galatin veröffentlicht worden, in der Zeitschrift *Antonianum* vol. i (Rom 1926) p. 172. Die Hauptstelle lautet „*Illum [libellum epistolam secretorum appellatum] tamen Paulus de Heredia, Johannis Pici Comitis mirandulani preceptor, cum esset ab Judaica cecitate ad Christianae veritatis lumen conversus atque hebraicae eruditionis peritissimus, primus in latinum vertit, ac formis excudi fecit.*“ Dass Paulus in der Tat in Italien war, unterliegt keinem Zweifel. Die Widmung an „den Gesandten seiner Majestät des Königs von Spanien“ beweist es, wie auch eine spätere Schrift des Autors, die (in hohem Greisenalter) Innocenz VIII gewidmet ist, die ich aber nicht gesehen habe. Er hat vielleicht auch den zweiten Druck in Rom 1487 selbst besorgt. Dass er längere Zeit in Italien geweilt haben muss, liesse sich aus der Form des hebräischen Titels folgern (Bl. 4v der Incunabel): „*Ex quibus epistolam confaeci eamque Nigghereth hazodoth hoc est epistolam secretorum appello.*“ Wenn Heredia 'Aleph und ‘Ajin verwechselt hat, so wäre *Nigghereth* die charakteristisch italienisch-jüdische Aussprache von Iggereth! Vielleicht liegt aber nur ein sonderbarer Druckfehler vor.

[2] Kleinhans p. 169. Der neue Titel sollte lauten: „*Nehumiae filii Haccanae de Messiae mysteriis opusculum epistola secretorum nuncupatum, ante Salvatoris nostri adventum anno circiter quinquagesimo, ex libro galerazeya Rabbeni Haccados excerptum.*“

an den Bischof, die Kleinhans fast vollständig mitgeteilt hat, beansprucht er nur, und zweifellos ganz korrekt, die von den Setzern verschuldeten zahlreichen Fehler der „keineswegs ungeschickten" Übersetzung des Paulus de Heredia emendiert zu haben.[1] Viel voller aber nimmt er den Mund im Brief an den Papst, wo er behauptet, er habe es nochmals aus dem Hebräischen ins Lateinische übersetzt und so in seiner ursprünglichen Vollständigkeit wiederhergestellt[2] – als ob er wirklich den hebräischen Urtext vor sich gehabt hätte! Galatin und Justinian, die fast genau dieselben Quellen benutzen, haben offenbar in Verbindung miteinander gestanden, besonders wenn wir mit Kleinhans annehmen, dass das 1518 zuerst erschienene Werk Galatins schon 1515 grossenteils ausgearbeitet war, und der angebliche hebräische Urtext eines Stückes aus der *epistola secretorum* nicht erst dem 1516 erschienenen Psalterium Justinians entnommen ist.[3] Bei der Zitierungs-freudigkeit Galatins darf man als sicher annehmen, dass er, wenn er solchen hebräischen Text des Buches vollständig besessen hätte, ihn auch gelegentlich der vielen Zitate anderer Teile der Schrift angeführt haben würde.

Inhaltlich spricht nichts dafür, dass Pico seine eigenen Thesen über die wahre, d.h. christliche Kabbala dem Paulus de Heredia verdankt. Dieser interessiert sich für Dinge, die Pico fernliegen, wie Spekulationen über die Mutter des Messias, seine Genealogie, die jungfräuliche Geburt und christologische Exegesen von Bibelversen. Wo sie beide über denselben Gegenstand sprechen, ist die Behandlung ganz verschieden. Heredia's „Zitate" über den Namen Jesu[4] wissen noch nichts

[1] A.a.O. heisst es auch im vorgesehenen Zwischentitel des zweiten Briefes: „*Paulus de heredia . . . latinitate donavit et nunc demum Petrus Galatinus revisum pristinae integritati restituit.*"

[2] „*Illum iterum ex hebreo in latinum traduxi pristinaeque integritati restitui*" (p. 172). Siehe die vorangehende Anmerkung.

[3] Kleinhans p. 330. Am Ende von De Arcanis heisst es, das Werk sei im September 1516 vollendet gewesen.

[4] Auch zitiert bei Galatin col. 154.

von Pico's trinitarischer Deutung der drei Konsonanten (*jod* der Vater, *schin* der Logos, *waw* der heilige Geist).[1] Heredia's mariologische Deutung des geschlossenen *mem* in dem messianischen Spruch Jesaja 9_6 לםרבה ist ganz verschieden von Pico's Deutung auf den Paracleten.[2] Beziehung auf die Sephiroth-Lehre fehlt bei Heredia, mit Ausnahme der oben erwähnten trinitarischen Bearbeitung der Zoharstelle III, 263a, ganz und gar – was mir auch ein zusätzlicher Beweis dafür zu sein scheint, dass dies „Zitat" nicht sein eigenes Produkt ist, sondern ihm schon wo anders her zukam. Er hätte doch sonst diese Symbolik in seiner Schrift noch oft benutzen können, während grade das Gegenteil auffällt. Er spielt mit Gematria und Notarikon, in grossem Detail, ohne dass die Symbolik der Sephiroth, die grade Pico so faszinierte, erscheint. Pico's Anspruch auf Originalität wird also auch dann im wesentlichen berechtigt bleiben, wenn er, wie ich annehmen muss, Kenntnis von Heredia's Publikation gehabt hat.

Dass in Spanien Texte der Art wie *'iggerett hasodoth* oder *Gali razaya* von getauften Juden verfasst und in Umlauf gesetzt wurden, steht durch ein zuerst von Graetz beachtetes Zeugnis des Abraham Farissol in Ferrara fest, das hier nähere Betrachtung verdient.[3] In dem etwa 1500–04 verfassten polemischen Werk *magen 'aboth*, dem z.T. Religionsdisputationen mit Geistlichen am Hof von Ferrara zugrunde lagen, berichtet Farissol von Fälschungen aggadisch-kabbalistischer Pseudepigrapha, die „vor kurzem" in Spanien von einer organisierten Gruppe getaufter Juden ausgegangen seien, wobei er in leider z.T. korrupter Form die Namen von drei Mitgliedern der Fälschergruppe nennt. Die Stelle lautet: „Als nun die an den Disputationen beteiligten Gelehrten die jüdische Ansicht von der Erklärung der Toraverse nicht zu widerlegen vermochten,

[1] In den *concl. sec. propr. opinion.* no. 7 und 14 cf. *Opera* p. 108–9.

[2] Cf. Galatin col. 412 mit Pico, *Opera* p. 111, no. 41.

[3] Graetz, Band IX p. 174. Der Passus liegt jetzt auch in der vollständigen Edition des Buches durch Sam. Löwinger in der *Revue des Études Juives* vol. 105 (1940), p. 43–6 vor.

wandten viele ihr Gesicht der Wüste zu,[1] um andere und stärkere Beweise für die Wahrheit der Trinität und der schon erfolgten Geburt ihres Messias aus gewissen Stellen zu bringen, die sie in den Aggadoth und Midraschim unserer Weisen fanden sowie auch aus Stellen bei Jonathan ben Uziel und anderen wenig verbreiteten Schriften nahmen, wie dem *Midrasch Chazith*, dem zu den Psalmen,[2] den *Megilloth*, und *Bereschith rabba*. Ja, ich habe auch in Erfahrung gebracht, dass wegen der geringen Verbreitung dieser Bücher[3] in deren Sinn [oder: aus ihrem eigenen Sinn] durch abtrünnige Juden[4] der oder jener Passus in der Sprache des babylonischen oder jerusalemischen Talmuds nach Art von Zoharstellen abgefasst worden ist, durch die sie manche Erfindungen beweisen, die sie über die mit ihrem Messias zusammenhängenden Punkte erdichtet haben. Sie schrieben dann solche Stellen den Midrasch-Werken, dem *Bereschith rabba* oder den Werken der Kabbalisten zu, ohne dass du sie, selbst bei eifrigstem Suchen, dort finden würdest. Mit Hilfe solcher Darlegungen [sermones, *druschim*] beweisen sie die Trinität, die Inkarnation, die [jungfräuliche] Geburt, die Verherrlichung und andere von diesen Dogmen, auf denen sie die Türme ihrer Thesen errichten. . . Ja, jetzt habe ich an meinem Wohnsitz Ferrara von angesehenen jüdischen Exulanten aus Spanien einen Bericht darüber gehört, wie vor nicht langer Zeit in Spanien eine kleine Gesellschaft von abtrünnigen Juden erstanden sei, zwölf junge Leute mit einem Oberhaupt – die Namen von dreien unter ihnen sind Alitienzio aus Monzon, Vidal aus Saragossa in Aragon und El-ciccico [?] de Orson [oder de Morson?] aus Avila, wie der dritte mit einem Beinamen heisst – die eine kleine

[1] D.h. schöpften aus dem Leeren?

[2] Farissol fand offenbar Zitate aus diesen beiden identischen Büchern unter den zwei verschiedenen Titeln.

[3] D.h. weil sie sich auf deren geringe Verbreitung verliessen? Die ganze Stelle ist sachlich sehr sonderbar, da ja diese Midraschim in den jüdischen Gemeinden weithin verbreitet waren.

[4] Hebräisch רשעי ישראל.

Sammlung blasphemischer Midraschim geschrieben und abgefasst hätten, die sie in der Sprache des Zohar, Bereschith rabba und der Midraschim erdichtet hätten. In ihnen hätten sie die Lehren von der Inkarnation Gottes, der Geburt, Auferstehung und Verherrlichung und mehr von diesen Gegenständen, die ihren Messias betreffen, vertreten, zugleich mit Erklärungen von Bibelversen, die darauf hinweisen. Sie hätten unter dem Namen der Weisen aus den Midraschim geschrieben und behauptet, die Stellen von dort abgeschrieben zu haben, und als ich sie [dort] aufsuchte, fand ich keine einzige davon. Denn als sie [d.h. Passus dieses Charakters] mir vorgelegt wurden,[1] war ich sehr erstaunt und leugnete, dass derartiges unter den Juden existiert.“

Es ist nicht klar, ob Farissol die Sammlung der Pseudomidraschim aus Spanien selber im Ganzen gesehen hat oder, was mir wahrscheinlicher scheint, ihm nur einige Zitate vorgelegt wurden, die zu einer Schrift dieser Art (von der er mündlich Bericht erhalten hat) passten. Das Zitat aus dem Targum Jonathan könnte sehr wohl das bei Paulus de Heredia zu Jesaja 6_3 gebrachte sein, wenn wir nicht in Farissols weiteren Ausführungen dort läsen, dass ihm grade diese Erklärung im Namen eines echten Midrasch mitgeteilt worden sei, von dem er aber nicht wisse, wo er stünde. Der volle aramäische Text, den er wiedergibt, könnte aber eher dem Pseudo-Zohar über Jes. 6_3 bei Pedro de la Caballeria entnommen sein.[2] Offenbar gingen all diese Pseudo-Zitate noch in Spanien durch mehrere Hände und Bearbeitungen. Ob ein Zusammenhang zwischen „den

[1] Offenbar in Religionsgesprächen zwischen jüdischen und christlichen Gelehrten.

[2] Der volle Text bei Löwinger p. 44: הנה שמעתי והוגד לי היות הדבר הלז אמת במדרש לא ידעתי מקומו על ביאור קק״ק שלש פעמים: האי מאן דאמרינן קק״ק תלת זמני הוי אמר קדישא דאבא קדישא דברא קדישא דרוח קודשא. Die Schreibung דאבא statt דא אבא, דברא statt דא ברא enthält denselben Fehler wie die lateinische Transkription im „Zelus Christi“: *Dabera* in einem Wort, als ob es ein Genetiv wäre. Merkwürdig ist, dass Farissol diesen, wie er selbst sagt, unauffindbaren Midrasch auf Grund seiner (jüdischen oder christlichen) Gewährsleute für eventuell echt hielt und dementsprechend auf die drei Erzväter als Verkünder des Monotheismus als unverfänglich zu erklären unternahm.

Autoritäten des Midrasch", in deren Namen die spanische Gruppe ihre Produkte verfasste, und Heredias Autoritäten (R. Nechunja, Rabbenu Hakadosch, Simon ben Jochaj) besteht, ist nicht sicher zu sagen. Haben die aragonischen Fälscher etwa Heredia's Text oder deren Quellen in der Hand gehabt und benutzt? Wenn Heredia, wie doch sicher ist, vor 1480 und noch in Aragon schrieb, bevor er nach Italien kam, ist das sehr wohl möglich. Aber offenbar verfügten die späteren, „jungen Leute" über ein reicheres Repertoire als Heredia.[1]

Dass die Sammlung, von der Farissol hörte und vielleicht Stücke sah, vor 1492 in Umlauf gesetzt wurde, bevor seine Gewährsleute Spanien verliessen, ist wohl recht wahrscheinlich – für wen könnte denn solch Heft in Zohar- und Midrasch-Stil bestimmt sein als für die Propaganda unter den noch unbekehrten hebräisch lesenden Juden? Sicher aber ist das nicht. Denkbar wäre auch grade, dass eine Wirkung auf die soeben erst, und grossenteils nur zum Schein übergetretenen Marannen erzielt werden sollte, die ja in den 90-er Jahren ihr Hebräisch noch nicht verlernt hatten. Psychologisch, und auch mit Rücksicht auf die Tätigkeit der Inquisition, die ja unmöglich die Verbreitung hebräisch geschriebener, schwer kontrollierbarer Hefte unter den nun allein übrig gebliebenen Conversos gern gesehen haben kann, scheint mir die Annahme vorzuziehen, dass wir es mit einem Produkt der Zeit vor der Vertreibung zu tun haben.

Wichtig wäre in diesem Zusammenhang, wenn die drei genannten Personen genauer bestimmt werden könnten. Farissol gibt offenbar ihre jüdischen Namen an. Am interessantesten ist hier der erste Name. Der Familienname ist mit italienischer Endung versehen, und das hebräische אליטינציאו ist, wie ich Baer's freundlicher Belehrung verdanke, Alitienzi (wie Alitenci, Alintienc) zu lesen. Dieser Familienname kommt im 14. saecul. mehrfach in Zaragoza vor, verschwindet dann aber dort

[1] Vergl. Baer, *Die Juden im christlichen Spanien* I (1929), p. 201, 510, 728.

nach 1391 und findet sich um 1490 grade in Huesca, der grossen Nachbargemeinde von Zaragoza. Die Handschriften von Farissols Buch geben den Ortsnamen als מונצון oder אולצון. Das erstere würde den katalanischen Ort Monzon bei Lerida bedeuten, dessen jüdische Bewohner 1414 fast alle zum Christentum übergetreten sind.[1] Das letztere entspricht keinem bekannten Ort, und kann Korruptele eines anderen Namens sein. Ob אושקה Huesca dahinter steckt? Oder wohnte der Neophyt aus der Familie Alitienzi vielleicht später in Monzon? Jedenfalls kennen wir durch Baers grosses Werk die Akten über den langen Prozess, der von Januar 1489 bis Juni 1489 gegen mehrere Juden von Huesca geführt wurde, die mit Abraham Alitiença zusammen (um 1488) den Entschluss seines Sohnes, des Arztes und Rabbi Eliezer Alitiença, zum Christentum überzutreten, zu verhindern gesucht hatten.[2] Sollte das etwa der dem Abr. Farissol von seinen Gewährsleuten an erster Stelle genannte Neophyt und Verfasser des judenchristlichen kabbalistischen Pseudepigraphons sein? Er hatte den Akten zufolge einen Freund in Zaragoza, einen Sohn des Ismael Abenrabi, mit dem zusammen er den Übertritt beschlossen hatte, was seinerzeit in Huesca zu allen möglichen Weiterungen führte. Die beiden jungen Leute tauschten sogar, sehr ungewöhnlicher Weise, in hebräisch geschriebenen Briefen formelle Schwüre aus, wonach beide zum Christentum übertreten würden. Nach einer anderen Aussage waren es drei Juden, die sich untereinander eidlich zum Übertritt verpflichtet hatten, Der Vater, Abraham Alitiença, Gemeindebeamter von Huesca und nach seinen erhaltenen Schriftstücken zu seiner eigenen Verteidigung ein sehr gelehrter Talmudist und überzeugter Jude, wurde 1490 als Märtyrer verbrannt. Vom Schicksal des Sohnes ist in den Akten nichts weiter gesagt. Ob hinter dem ungenannten Sohn des Rabbi aus Zaragoza, der damals Student war,

[1] Baer, p. 824.

[2] Baer vol. ii (1936), p. 485–8. Den Hauptteil der Beschuldigungen bildet die Beschneidung von Christen und Zurückführung von Conversos ins Judentum.

etwa der bei Farissol genannte Vidal de Saragossa steckt? Der „Beiname" des dritten enthält wohl eine spanische Diminutiv-Form des Vornamens Isaac. Sollte diese Gruppe der 12 Neophyten wirklich mit den genannten Personen zusammenhängen, würde ihre Tätigkeit in die allerletzten Jahre vor der Vertreibung von 1492 fallen und später anzusetzen sein als das Auftreten des Pico della Mirandola. Jedoch ist dies vorläufig nur eine Vermutung, und es ist nicht ausgeschlossen, dass es sich um eine andere Gruppe handelt, die ein paar Jahre früher auftrat. Vielleicht tauchen aus spanischen Akten noch Angaben auf, die uns genauere Nachrichten liefern.

Interessant ist, dass Abraham Farissol von dieser, durch Neophyten vertretenen, christlichen Kabbala Kenntnis nimmt, dagegen nicht von den parallelen Bestrebungen des ihm vielleicht sogar persönlich bekannten Pico.[1] Aber jüdische Reaktionen auf die Kabbala Pico's sind aus dieser Generation überhaupt nicht bekannt, so wenig wie sie dem Paulus de Heredia Beachtung schenkte. Auch ein Gelehrter, der dem Kreis des Marsilio Ficino nahe stand und von dorther Anregungen empfing wie David Messer Leon aus Mantua, der später ein grosses und wichtiges kabbalistisches Buch *Magen David* verfasste, kennt deutlich die Beziehung d.h. Affinität des „göttlichen Plato" zur Kabbala, von Pico aber spricht er in diesem Zusammenhang nirgends.[2] Erst viel später erwähnen auch jüdische Kabbalisten in Italien seine Schriften oder beschäftigen sich mit ihnen.[3] Wohl aber wird man sagen

[1] Farissol lebte 1485 am Hof Lorenzo de Medicis. Perles hat vermutet, dass er jener Abraham sein könnte, der nach einem wohl 1485 geschriebenen Brief des Marsilio Ficino bei vielen Disputationen im Hause Pico's anwesend war: Die gelehrten jüdischen „Ärzte" (d.h. Naturforscher?) und Peripatetiker Elia (del Medigo) und Abraham (Farissol?) hätten dort mit Guglielmus Siculus, d.h. wie jetzt feststeht: dem gelehrten Neophyten Flavius Mithridates, Diskussionen geführf. Vergl. J. Perles in der Revue des Études Juives vol. xii (1886), p. 251–2.

[2] Cod. Montefiore (Jews' College), Hirschfeld No. 290, fol. 5v ולא לחנם נקרא אלהי כי מי שיעיין בספריו יראה בהם סודות גדולים ועצומים אלהיים וכל דעותיהם דעות אנשי הקבלה האמתית·

[3] Der frühere Maranne Abraham Herrera zitiert um 1600 einen christlichen Kabbalisten in der Frage der Folge der Engelordnungen, חכם אחד מבני נכר אשר גם לו יד בחכמה הזאת

dürfen, dass der Wendung der italienischen Platoniker dieser Periode zur Kabbala, wie sie bei Pico zum Ausdruck kommt, in denselben Jahren eine Wendung der jüdischen Gelehrten Italiens zu einer platonischen Auffassung der kabbalistischen Grundprinzipien entspricht. Vielleicht liegt aber eine indirekte Polemik gegen die christliche Interpretation der Kabbala in diesem Zusammenhang in dem wohl um 1490 geschriebenen hochinteressanten Brief des Juda Messer Leon aus Mantua – des Vaters des eben genannten David – an die Notabeln der jüdischen Gemeinde von Florenz: dort lehnt er die Tendenzen der Kabbalisten der letzten Generationen ab, die geeignet seien zur Annahme von Körperlichkeit, Veränderlichkeit und Vielfältigkeit in Gott zu führen, empfiehlt aber demgegenüber grade die ältesten Autoritäten der Kabbala, die sich mit den schönsten Teilen der platonischen Gedankenwelt in Übereinstimmung befänden.[1]

So fällt denn, scheint mir, durch diese Erörterungen klareres Licht auf die Zusammenhänge, aus denen das Auftreten und die Ausbildung der christlichen Kabbala verständlich werden.

---

und zwar ohne jede polemische Zensur. Gemeint ist zweifellos Pico's *conclusio secundum secretam doctrinam Hebraeorum*, wo die betreffende Stelle in no. 2 steht (Opera p. 81). Vergl. Herrera's *Beth Elohim*, Amsterdam 1655, fol. 15r. Leon Modena erzählt in seinem antikabbalistischen *Ari Nohem* (ed. Libowitz, Jerusalem 1929, p. 96), dass der Kabbalist Joseph Chamiz in Venedig die Schriften des Pico besessen habe.

[1] Der Brief ist von Simcha Assaf, in der Festschrift מנחה לדוד für David Yellin (Jerusalem 1935) p. 226–8 publiziert worden.

DIE VORSTELLUNG VOM JUDEN UND VOM JUDENTUM IN DER IDEOLOGIE DER REFORMATIONSZEIT

VON SELMA STERN-TAEUBLER

Die Epoche der Reformationszeit, die man auch eine Zeitenwende genannt hat, ist unserem Verständnis wieder nahe gerückt, weil sie, wie unsere heutige, die Epoche einer ungeheueren Umwälzung war, die jedes Gebiet des Lebens, das politische, das wirtschaftliche, das soziale, das religiöse, das kulturelle von Grund auf verändert und neu gestaltet hat. Die Alleinherrschaft der Kirche wurde durch die Reformation, die Absolutheit des Christentums durch den Humanismus, Europa als der Mittelpunkt der Welt durch die Entdeckung der überseeischen Länder, das römische Universalreich durch die Entstehung nationaler Staaten, die scholastische Philosophie durch die individuelle religiöse Erfahrung, die politische Doktrin und die Soziallehre der Kirchenväter durch die frühkapitalistische Wirtschaftsform in Frage gestellt. An Stelle der Einheit trat die Vielheit, an Stelle des Unbedingten das Relative, an Stelle der Stabilität der Wechsel, an Stelle der Vorsehung die Fortuna, an Stelle des Unvergänglichen die „Renascentia", die Wiedergeburt, die Reformation. Diese Wandlung vollzog sich jedoch nicht solchergestalt, dass die beiden Kulturen, die mittelalterlich-kirchliche und die modernsaeculare, sich klar und scharf voneinander schieden und abgrenzten. Wie die neuen geistigen und religiösen Bewegungen schon seit langem im Mittelalter wirksam geworden waren, so lebte auch die christlich-dualistische Weltanschauung ungebrochen in der Reformationszeit weiter. Diese beiden Strömungen durchdrangen einander, vermischten sich miteinander, kämpften gegeneinander oder bestanden unversöhnt und unvereinbar nebeneinander fort.

Auch in der Auffassung der Zeit vom Juden wirkte sich diese Zwiespältigkeit und Problematik verwirrend und erregend aus. Man versuchte ihn nach dem Gesetz der natürlichen Vernunft und dem Gebot der Humanität als ein natürliches und menschliches Wesen zu begreifen, man lebte aber gleichzeitig in dem festen Glauben, dass abgründige und übernatürliche Mächte sich seiner als ihres gefährlichsten und unheimlichsten Werkzeugs bedienten.

Am klarsten und einfachsten scheint das Judenproblem von jenen Humanisten erfasst worden zu sein, die man als Anhänger eines religiös-universalistischen Theismus bezeichnet hat. Ihr Ideal war nicht mehr der heilige, der sich selbst verleugnende und sich aufopfernde Mensch der Askese, der Armut und des Gehorsams, sondern der natürliche, der wesenhafte, der wahrhaftige Mensch, der sich nach dem Gebot der ihm eingeborenen Vernunft, als sein eigener Schöpfer und Gestalter, frei und unabhängig entwickelt.

„Nicht himmlisch, nicht irdisch, nicht sterblich und auch nicht unsterblich haben wir dich erschaffen", verkündete der Neuplatoniker Pico della Mirandola. „Denn du sollst nach deinem Willen und deiner Ehre dein eigener Werkmeister und Bildner sein und dich aus dem Stoffe, der dir zusagt, formen." Der Mensch sei, lehrte Erasmus, in die Mitte der Welt gestellt, damit er frei nach allen Seiten um sich blicken und seine Stellung wählen könne.

Wie in jedem *homo nobilis* die gleiche moralische Anglage, das gleiche Verantwortungsgefühl lebt, so besitzt auch jede Religion den gleichen Wahrheitsgehalt, das gleiche ethische Prinzip. Die Gottheit hat sich nicht einem Volk oder einem Menschen zu einer bestimmten Zeit offenbart, sondern sie erleuchtete verschiedene Menschen und verschiedene Völker in verschiedenen Jahrhunderten. Die „göttliche Erbweisheit", der „Geist Christi" lebte ebenso in Orpheus wie in Seneca, in Moses wie in Socrates, in Plato wie in Christus, in der griechisch-römischen Mythologie wie in den Büchern des Alten und des Neuen Testaments. Man dient der Gottheit nicht nur in der frommen Spekulation, in der Erfüllung aller Dogmen, Riten und Ceremonien, sondern mehr noch in einem lauteren Lebenswandel, einer praktischen Frömmigkeit, einer wahrhaften *imitatio Christi*.

Konrad Mutianus Rufus, der bedeutendste Führer der Erfurter Humanisten, lehrte unter dem Einfluss der italienischen Neuplatoniker, dass die Menschheit nicht erst seit dem Erscheinen Christi ihres Heils gewiss geworden sei. Der „unsichtbare Christus", der „wahre Sohn Gottes", wurde nicht nur den Juden in einem Winkel Syriens offenbart, sondern auch den Griechen, den Römern, den Germanen. Alle theistischen Religionen und Philosophien sind dieser göttlichen Weisheit teilhaftig, das natürliche Sittengesetz ist allen grossen Lehrern der Menschheit eingeboren, durch sie wird es den übrigen Sterblichen übermittelt.

„Die christliche Liebe sucht nie sich selbst, sondern immer nur den nächsten, nicht bloss die Freunde, sondern auch die Feinde, überhaupt jeden Menschen, er sei Christ, Heide, Jude, Türke, weiss oder schwarz, böse oder gut; denn bei Gott ist kein Ansehen der Person", predigte der Hebraist Johann Boeschenstein in seinem „Christlichen Unterricht der brüderlichen Liebe". Selbst der Protestant Cellarius, ein Anhänger der Lutherischen Prädestinationslehre, schrieb in seinem Buch „De operibus dei", dass Gott auch unter Juden, Griechen, ja unter Skythen und allen Völkern seine Wahl getroffen und im Mutterleib gesegnet habe.

Dieser religiös-universalistische Theismus fand seinen eigenartigsten und tiefsinnigsten Verkünder in Sebastian Franck, der am leidenschaftlichsten und lautersten nach dem verborgenen Gott gesucht, ihn aber weder im Katholizismus noch im Protestantismus, weder im Neuplatonismus noch im Täufertum gefunden hat.

Gott hat allen Menschen, so ist auch seine Überzeugung, das „Licht der Natur", das „lumen naturale" als natürliches Gesetz eingeschrieben, so dass sie befähigt werden, zwischen Gut und Böse zu unterscheiden, seinen Willen zu erkennen und sein Wort anzunehmen. Der Universalhistoriker weiss zwar, dass Völker kommen und gehen, dass Gesetze und Sitten sich ändern, dass Stände und Klassen sich voneinander unterscheiden. Der Spiritualist aber ist gewiss, dass Gemüt und Herz, Sinn und Wille der Menschen überall die gleichen sind. Vita una et eadem omnibus. Es ist Ein gleich Leben auf Erden. Omnis homo unus homo. Wer Einen natürlichen Menschen sieht, der sieht sie alle. Ein jeder ist imstande, den alten Menschen in sich zu kreuzigen, der Welt abzusterben und sich zu verleugnen, um wiedergeboren zu werden durch den „lebendigen Glauben, der durch die Liebe tätig ist."

Die Formen des Gottesdienstes wechseln, die Gottheit bleibt die gleiche. Dem Baalsdiener ist das Absolute Baal, dem Türken Allah. „Der Türke beruft sich auf seinen Alkoran, der Jude auf seinen Talmud, der Papst auf sein Dekret, alle auf Schriften, jeder schilt den anderen einen Ketzer. Darum gedenke ein jeder, dass die anderen auch Schrift führen und lass' sich ihre Irrtümer zu seinem Weg dienen, und hab' keine Ruh', bis er von Gott gelehrt und gesichert werde in seinem Herzen." Deshalb, weil Christen und Heiden, Rechtgläubige und Ketzer zwischen Irrtum und Wahrheit schwanken, weil keiner der letzten religiösen Wahrheit gewiss ist, stellte er den gottgläubigen Heiden auf die gleiche Stufe wie den frommen Christen und verlangte für alle, Juden und Christen, Heiden und Mohammedaner das gleiche Recht und die gleiche Duldung. Aber diese Duldung nicht nur um der „docta ignorantia" willen, sondern als eine Forderung der Ethik, der Nächstenliebe, der Achtung und Wertschätzung des Nebenmenschen.

„Also sei auch keiner meines Glaubens Meister und nötigt er mich nicht, dass ich seines Kopfes Knecht sei, so soll er mein Nächster und mir ein lieber Bruder sein, ob er ein Jude oder ein Samaritaner wäre, will ihm Liebs und Guts tun, so viel nur möglich. Ich werfe keinen hin, der mich nicht hinwirft. Ich bin billig ein Mensch einem Menschen."

Diese Denker machten noch nicht den Versuch, das Judentum als eine individuelle religiöse Erscheinung in seinem Eigenwert zu erfassen oder es in seiner kulturellen Entwicklung historisch zu begreifen. Es blieb für sie eine abstrakte Idee, ein Logos, ein Prinzip, ein Mittel zur Erziehung und Bildung des Menschengeschlechts. „Weil das Volk die Idee der Tugend aus Liebe zu Gott noch nicht fassen konnte, brauchten seine Lehrmeister den Zorn Jehovahs."

Trotzdem sie in der Theorie die moralischen Werte des Judentums den ethischen Kräften des Christentums gleichsetzten, besteht doch kein Zweifel, dass ihre ganze Lebens-und Weltanschauung eine christliche war. Erasmus, der zu den einfachen, klaren, lebendigen und wahren Quellen der Evangelien zurückgehen und sie von allen scholastischen Dogmen und menschlichen Satzungen befreien wollte, spottete gelegentlich der Menschen, denen die Religion nichts anderes bedeute als jüdische Riten und Ceremonien. Während des Streites, den Reuchlin mit Pfefferkorn führte, wünschte er einmal, dass eher das Alte Testament vernichtet werde und das Neue erhalten bleibe, als dass um der Bücher der Juden willen der Friede der Welt gebrochen werde. Und Sebastian Franck, der die Erbsünde leugnete, der Sakramente nicht bedurfte und wie die Juden der Überzeugung lebte, dass alles „an dem bösen und guten Willen gelegen sei", fand seinen Zugang zu Gott doch nur in der Nachahmung der Leidenslehre Christi, seine unsichtbare Kirche, die Kirche im Geiste, war doch nur die „Wiederkehr dessen, was zur Zeit der Apostel als die Gemeinde der Heiligen bestanden hat."

Der Neuplatonismus der Florentiner Akadmie, besonders die Lehre des Ficinus und Pico della Mirandola, hat auch die christlichen Kabbalisten Deutschlands, vor allem Johann Reuchlin und Agrippa von Nettesheim, entscheidend beeinflusst. Aber für Reuchlin wurde das Judentum mehr als nur ein Gegenstand theoretischer Erörterung. Der Begründer der hebräischen Sprachwissenschaft unterhielt nahe persönliche Beziehungen zu den besten und gebildetsten Juden seiner Zeit, die ihn in den Anfangsgründen der geliebten Sprache unterrichtet hatten. Dem einen von ihnen, Jakob Jehiel Loans, dem Leibarzt Kaiser Friedrich III., hat er in dem vielerfahrenen und vornehmen Juden Simon, einem frühen Vorfahren Nathan des Weisen, ein schönes und ehrendes Denkmal gesetzt. Der Kenner der hebräischen Sprache hat zur Rettung der jüdischen Bücher einen jahrelangen, aufreibenden und ihn und seine Stellung sehr gefährdenden Kampf mit dem getauften Juden Pfefferkorn und den Kölner Dunkelmännern gekämpft, der praktische Staatsmann und der grosse Rechtsgelehrte hat auch die rechtliche und politische Lage der Juden gründlich erforscht und verlangt, dass das mittelalterliche Judenrecht aufgehoben und durch das römische Recht ersetzt werde. Damit wollte er die Juden noch nicht von allen Sonderbestimmungen befreien und sie als Glaubensgemeinschaft den übrigen Untertanen gleichsetzen, aber er wollte ihnen als „concives imperii romani" um des Rechts und der Gerechtigkeit willen die bürgerliche Rechtsgleichheit zugestehen. „Und zuletzt soll ein Christenmensch den Juden lieb haben als seinen Nächsten, das ist alles in den Rechten gegründet."

Dieses schöne Wort wurde zu einer Zeit gesprochen, da die Kammerknechte des Heiligen Römischen Reiches in politischer, wirtschaftlicher und sozialer Beziehung zu tiefst gesunken waren. Man hatte sie während der zweiten Hälfte des 15. und zu Reginn des 16. Jahrhunderts aus den grösseren Territorien und aus fast allen Reichstädten vertrieben, ihnen die meisten

Berufe untersagt und sie genötigt, auf dem Lande oder in kleinen Städten als Händler, Geld – und Pfandleiher sich anzusiedeln. Durch Flugschrift und Volkslied, Holzschnitt und Aktenstück wurde das Volk über jede Einzelheit der unzähligen Ritualmord – und Hostienschändungsprozesse jener Epoche, des Trientiner, des Passauer, des Regensburger, des Endinger, des Berliner- und Sternberger und wie sie alle heissen, aufgeklärt. Das Fastnachtspiel, das Drama, das Passionsspiel führte die Gestalt des jüdischen Wucherers und Verräters, des Mörders Christi und des Schänders der Maria, des Bundesgenossen des Teufels und des Türken auf offenen Plätzen oder in weiten Kathedralen, gestereich und redereich, Woche für Woche beinahe, einer riesigen Zuschauermenge vor Augen.

Für Reuchlin aber ist der Jude der Träger einer heiligen Überlieferung, der Kenner einer geheimnisvollen Offenbarung und eines wundertätigen Wortes – der Kabbala. Sie ist der verborgene Urgrund alles Wissens, der Schlüssel zur Erkenntnis der Schöpfung und der Natur, der Gottheit und der menschlichen Seele. Sie ist die Führerin zur höchsten Weisheit, die Quelle aller irdischen Vollkommenheit und Glückseligkeit. Sie wurde von Gott selbst in mündlicher Aussprache dem Weisesten der Weisen, Moses, offenbart und von diesem an die besten und edelsten Männer, von Geschlecht zu Geschlecht, weitergegeben. Die Chaldaeer, die Griechen und die anderen Völker haben aus ihr ihre Weisheit und Wissenschaft geschöpft, Pythagoras selbst hat den Glanz des göttlichen Lichtes in ihr entdeckt und seine philosophische Lehre auf sie gegründet.

Das Geheimnis, das diese Urweisheit umgibt, umgibt auch die hebräische Sprache. Sie ist die Sprache, in der Gott mit den Menschen, die Menschen mit den Engeln geredet haben, von Angesicht zu Angesicht, die älteste Sprache, aber trotz ihres Alters die reichste und die schöpferischste, die Urquelle aller anderen, die im Vergleich zu ihr arm und dürftig erscheinen. Jedes Wort, jede Silbe, jeder Name, jede Zahl, jeder Buchstabe, ja jeder Punkt und jeder Haken ist voller Bedeutsamkeit, Wichtigkeit und Heiligkeit. Der Fromme, der ihren Zahlenwert versteht, vermag das Innerste der Schöpfung, den wahren Heilsplan, den Sinn alles Geschehens zu erfassen, ja er ist imstande, die Idee der Ideen, den Messias, zu begreifen.

Die beiden Juden, Baruchias und Simon, die in Reuchlin's beiden Werken *Vom wundertätigen Wort* und *Von der kabbalistischen Kunst* mit Vertretern des Islam, der griechischen Philosophie, des Neuplatonismus und des Pythagoräismus diskutieren, besitzen noch keine jüdischen Charakterzüge; ihr Wesen hat weder vom Judentum ihrer Zeit noch von den Erfahrungen ihrer Geschichte seine Eigenart empfangen. Sie sind hochgestimmte und feinsinnige Interpreten der Kabbala, tiefgründige Lehrer der Weisheit, Menschen von grosser „Würdigkeit", um einen Lieblingsausdruck des Kabbalisten Agrippa von Nettesheim zu gebrauchen, Mikrokosmen sozusagen, die den Makrokosmos verkleinert wiederspiegeln und danach trachten, durch Wort und Zahl, durch Zeichen und Figur Irdisches und Himmlisches, Körperliches und Geistiges, Natürliches und Übernatürliches miteinander zu verbinden und die Seele des Menschen mit der Weltseele zu vereinigen.

Schärfer und klarer als die Humanisten und die Kabbalisten haben die Reformatoren das Judentum gesehen. Indem sie seine ursprünglichen und unverfälschten Quellen, die Bibel, neu entdeckten, und in ihr alle Wissenschaft und alle Weisheit der Welt enthalten fanden, wurde ihnen auch der Jude zum Nachkommen der Patriarchen, der Propheten und der Könige, das jüdische Volk als das vor allen Völkern auserwählte und ausgezeichnete, weil Gott ihm allein die heilige Schrift anvertraute.

„Der Griechen Weisheit, wenn sie gegen der Juden Weisheit gehalten wird, ist gar viehisch", urteilte Luther in einem seiner Tischgespräche; „denn ausser Gott kann keine Weisheit noch einiger Verstand noch Witze sein. Das Ende der Griechen

Weisheit ist Tugend und ehrbar Wandel; aber das Ende der Juden (ja das rechte fromme Juden sind) Weisheit ist, Gott fürchten und vertrauen. Der Welt Weisheit ist der Griechen Weisheit. Darum nennt Daniel recht fein und artig alle Reiche der Welt Bestien und unvernünftige Tiere. Die Griechen haben wohl gute und liebliche Worte, aber nicht Sentenz. Ihre Sprache ist wohl freundlich und holdselig, aber nicht reich von Sprüchen. Die hebräische Sprache ist für andere wohl einfältig, aber da viel hinter ist; also dass es ihr keine nachtun kann."

Trotz dieser und anderer ähnlicher Ausprüche hat Luther seine bösen und unmenschlichen Bücher gegen die Juden geschrieben, ihren Hochmut und ihre Lügenhaftigkeit, ihre Ruhmsucht und ihre Habsucht, ihren Starrsinn und ihren Trotz, ihre Werkgerechtigkeit und ihre Märtyrereitelkeit gebrandmarkt und die Fürsten aufgefordert, ihre Synagogen zu verbrennen, ihre Häuser zu zerstören, ihnen die Gebetbücher und Talmudexemplare wegzunehmen, den Rabbinern den Unterricht zu verbieten, sie zu harter körperlicher Arbeit zu zwingen oder sie aus dem Lande zu jagen. „Sie sind ein verlorener Haufe, ein mörderisches Volk, zur Hölle verdammt, ihr Gott, Vater und Meister ist der Teufel."

Man hat Luthers problematische Haltung in der Judenfrage, sein Schwanken zwischen Liebe und Hass, Bewunderung und Verachtung schon oft zu deuten versucht und als Grund seines Hasses die Unbelehrbarkeit und Unbekehrbarkeit der Juden angegeben, durch die er auf das heftigste gereizt und enttäuscht worden sei. Das ist zweifellos richtig. Hätten die Juden seinem leidenschaftlichen Werben nachgegeben und die Messianität des Heilands anerkannt, die er in Wort und Schrift, in Commentar und Interpretation, in Diskussion und Disputation zu beweisen nicht müde wurde, so hätte eine solche Bekehrung den endgiltigen Sieg seiner reformatorischen Tat bedeutet. Wäre ihm in wenigen Jahren gelungen, was dem Papsttum in Jahrhunderten nicht glückte, hätte er das Volk der heiligen

Lehre als überzeugten und begeisterten Bundesgenossen gewonnen, so hätte er damit am augenfälligsten die Überlegenheit des Protestantismus über den Katholizismus bewiesen.

Luthers Judenhass hatte aber, so will mir scheinen, noch in einem anderen, ihm vielleicht unbewussten und im Urgrund seiner Seele verborgenen Motiv seine eigentliche und letzte Ursache. Der frühere Mönch hat niemals ein geheimes Schuldgefühl der alten Kirche gegenüber verloren, wie er niemals das Gefühl der Sündhaftigkeit verlor, das ihn einst in das Kloster trieb. Davon zeugen seine immer schärferen Ausfälle gegen das Papsttum, den katholischen Klerus und das Mönchtum, seine wachsende Reizbarkeit und Erregbarkeit, seine Unduldsamkeit und Empfindlichkeit jedem Widerspruch und jeder Kritik gegenüber, vor allem die zunehmende Verdüsterung seines Gemüts, die Melancholie. Hätten die Juden, die „dem Geblüte Christi" selbst entstammten, diese „Blutsfreunde, Vettern und Brüder des Herrn", seine Sendung anerkannt, so hätte diese Anerkennung für ihn die innerste Rechtfertigung seiner Tat, die Sühnung seiner Schuld, die Befreiung von unerträglicher Qual bedeutet.

Aber die eigentlichen Gründe, die Luthers Verhalten verständlich machen, liegen tiefer; sie sind nicht so sehr psychologischer und emotionaler als rein religiöser Natur.

Luthers Weltanschauung und Weltgefühl wurzelten noch vollständig im Mittelalter. Im Gegensatz zu den Humanisten und noch gläubiger als die Katholiken seiner Zeit lebte er in der christlichen Vorstellung von der Sündhaftigkeit und Wertlosigkeit des diesseitigen Leben, das ihm nur eine Zeit der Prüfung, Vorbereitung und Bewährung für das jenseitige bedeutete, in dem Bewusstsein, dass Gott selbst den Unterschied der Stände und Klassen geschaffen und ein für allemal festgelegt habe und in der unerschütterlichen Gewissheit, dass alle Nichtchristen und Heiden auf ewig verdammt und verloren seien. Er hat, wie Troeltsch ausführt, die christlichen Massstäbe nicht aufgehoben, sondern verschärft und verlebendigt. „Luther gehörte in diese Zeit (Mittelalter) hinein, nicht nur durch seine scholastische Philosophie, sondern vor allem durch sein Bestreben, die Kultur gleichfalls kirchlich zu beherrschen und zu gestalten. Auch die Reformationskultur ist nichts anderes als die mittelalterlich christliche, die extensive Zwangskultur, sie hat den engeren Kreis dem Raume wie dem Inhalte nach, aber sie hat das gleiche Trachten" (Baeck).

Schloss schon diese Auffassung von der ewigen Verdammnis der Nichtchristen eine Verbindung von Protestantismus und Judentum aus, so war es weiterhin nicht möglich, Luthers Lehre von der Rechtfertigung durch den Glauben und das Ceremonial-und Moralgestz des Alten Testaments, seine Lehre von der Prädestination und die jüdische Lehre vom freien Willen, sein Begriff der göttlichen Gnade und den jüdischen Begriff der sittlichen Verantwortlichkeit des einzelnen Menschen einander anzunähern oder gar miteinander zu versöhnen.

Hinzu kommt noch ein anderes, bisher weniger beachtetes Moment. Zwingli und vor allem Martin Butzer, der Organisator der protestantischen Kirche, verkündeten immer wieder die Lehre von der „res publica Christiana", dem „christlichen Staat", zu der Melanchthon noch die nationale Idee der „una sancta" fügte, der heiligen Verbindung von Kaiser, Kirche und Reich zu einer einzigen, alle religiösen, sozialen und politischen Gegensätze aufhebenden, protestantisch-christlichen Einheit. In diesem von Gott gewollten und gewirkten, vom Geiste des wahren Evangeliums erfüllten Gemeinwesen, dessen Gesellschaft in Liebe, Glaube und Gottesfurcht zusammenleben und wirken sollte, gab es für eine national und religiös andersartige Gemeinschaft keinen Platz mehr.

Consequenter und strenger als Luther haben seine leidenschaftlichen Gegenspieler und Widersacher, die Wiedertäufer, Ernst mit seiner Lehre gemacht und versucht, das evangelische

Ideal im Leben zu verwirklichen, das heisst den Staat, die Wirtschaft und die Gesellschaft durch das „innere Wort“ und den „Geist“ zu spiritualisieren und zu heiligen. Trotzdem sie alles auf das innere Zeugnis des einzelnen Menschen stellten, haben sie dieses innere Zeugnis auf die Autorität der Bibel gestützt und aus ihr, besonders aus dem Alten Testament, die Richtlinien für ihr persönliches Verhalten wie für ihren neuen, nur von Gott regierten, von jeder weltlichen Obrigkeit und jeder kirchlichen Autorität befreiten Staat geholt. Thomas Muentzer, der geistige Führer der Bewegung, für den die Bücher des Moses die höchste göttliche Weisheit und Wahrheit enthielten, identifizierte sich immer wieder mit den Helden und Propheten des Alten Testaments. Er ist Gideon, dem das heilige Schwert anvertraut ist, oder Jeremias, der die starken, gottlosen Tyrannen bekämpft, und wie Daniel prophezeit er, dass das Ende der Welt nahe sei und dass das Gottesreich anhebe.

Diese apokalyptischen Bilder finden wir nicht nur in den Predigten und Schriften der Wiedertäufer. Die Angst vor dem Weltuntergang und dem jüngsten Gericht, vor dem Zorn Gottes und der Erscheinung des Antichrist hatte die Massen damals mit unheimlicher Gewalt ergriffen. In unzähligen Prophezeiungen und Visionen, in aufwühlenden Buss- und Erweckungspredigten, in Wallfahrten und Gebetsgemeinschaften, in eindringlichen Ermahnungen und in revolutionären Reformprogrammen machte sich die religiöse Erregung und die Furcht vor dem kommenden Strafgericht Luft. Die Unsicherheit des ganzen Lebens, die politischen Misstände im Reich, die Zerstörung der inneren Ordnung der Kirche, die soziale Ungerechtigkeit, die Einführung des wesensfremden römischen Rechts, der Kampf aller gegen alle, der Stände gegen den Kaiser, der Fürsten gegen die Städte, der Städte gegen die Ritter, der Bauern gegen die Grundherren, der Zünfte gegen die Patrizier hatten die Gefühle auf das äusserste aufgepeitscht und zu revolutionären Aufständen der Bauern auf dem Lande und des gemeinen Mannes in der Stadt geführt. Eine Errettung erhoffte man nur noch durch eine vollständige Umgestaltung aller politischen, sozialen, wirtschaftlichen und kirchlichen Verhältnisse, durch ein kommendes Gottesreich, in dem der arme Mann Friede, Recht und Gerechtigkeit finden würde. Als gottgesandten Friedenskaiser, als „König vom Schwarzwald", der „in einem Gewand rein wie Schnee, auf weissem Ross daherreitend, Bogen und Schwert in der Hand", dem Gebirge entsteigen werde, erwartete man den endzeitlichen Erlöser. Aber ehe dieser kaiserliche Messias erscheint, werden zuerst die Tage des Antichrist kommen, wie die Sibyllen geweissagt haben. Gog und Magog, die Völker des Endes, werden die Mauern zerbrechen, in die Alexander der Grosse sie einst einschloss und sie werden nach Jerusalem ziehen, um es zu erobern. Dort aber wird der Antichrist ihnen entgegentreten und sie besiegen, das römische Reich wird zu Ende gehen und die Zeit des Bösen und des Unheils wird anheben.

In diesen unheimlichen eschatologischen Weissagungen spielen auch die Juden eine entscheidende Rolle. Schon Gog und Magog, die Völker des Untergangs, sind zwei Judenstämme. Der Antichrist aber, der Fürst des Verderbens, ist der Sohn einer jüdischen Hure, dem Geschlecht des Dan entstammend. In illo tempore surget princeps iniquitatis de tribu Dan qui vocabitur Antichristus, also weissagte die Tiburtinische Sibylle.

In der berühmten Prophezeiung des Johannes Lichtenberger, die ungeheuere Verbreitung fand, wurde das Kommen des Antichrist auf das Jahr 1488 berechnet. In diesem Jahr wird er sich sehr bös erzeigen fünf Jahre lang, er wird grosses Unheil anrichten, indem er die schädlichen und vergifteten Juden in mancherlei Landen erhöhen wird. Sie werden die Regierer der Fürsten, ihre Ärzte, Künstler und Ratgeber sein, grosse namhafte Leute werden sie lieb haben „von wegen der

Elevation des Saturnus in dieser Connection und Zusammenfassung der Sterne."

Im „Entchrist Vasnacht", einem Fastnachtspiel aus dem 15. Jahrhundert, tritt der Antichrist gegen Jesus auf und vollbringt so viele Wunder, dass Kaiser und Pfaffen an ihn glauben und ihm Gefolgschaft leisten. Die Juden bitten ihren lang erwarteten und jubelnd begrüssten Messias, er möge ihnen wieder ihre frühere Macht, Herrlichkeit und Auserwähltheit zurückgeben, sie wollen mit ihm „genesen und sterben, bis sie das ewige Reich erwerben."

Der „Nollhart" des Pamphilius Gengenbach, von allen Ständen, dem Kaiser, dem König von Frankreich, dem Bischof von Mainz, den Eidgenossen, den Türken und auch den Juden um die Zukunft befragt, weissagt in feierlicher Versammlung, dass der Erzengel Michael den Antichrist besiegen und von Juda auf ewig das Scepter nehmen werde. Der jüngste Tag werde nahen, Gott werde kommen und richten und sein Reich bereiten, der Juden Los aber werde Untergang und Höllenpein sein.

Was an diesen apokalyptischen Vorstellungen auffällt, ist eine völlig neue Auffassung vom Juden. Während er in den meisten Dramen und Fastnachtspielen als Vertreter eines Standes oder einer Religion erscheint, als habgieriger oder wohltätiger Kaufmann oder als scharfsinniger und standhafter Verteidiger seines Glaubens, während er in manchen Legenden wie in denen vom Theophilus zum Gefährten des Teufels wird, während er in der Schwankliteratur als schlagfertiger Schalk oder betrogener Tölpel die Leser ergötzt, während die Satiriker und Moralisten ihn in ihren Narrenschiffen, Schelmenzünften und Narrenbeschwörungen als warnendes Beispiel menschlicher Schwäche und Unzulänglichkeit vorführen, wird er in den eschatologischen Weissagungen selbst zu einer apokalyptischen Figur. Er wird der Träger der aufgewühlten und angstvollen Stimmung der Epoche, eine unheimliche und übernatürliche Macht, die schuldig wird an dem ungeheueren Geschehen dieser Zeitenwende. Wie man abwechselnd den Papst, die Pfaffen, die Mönche, die Ritter, die Kaufleute, die Zauberer, die Hexen für das Chaos und die Unruhe verantwortlich machte, so suchte man auch im Juden den Schuldigen zu treffen und für seine Schuld zu richten. Schon in einem frühen Meisterliede heisst es, dass der Kaiser Friedrich „der Juden Kraft“ darniederlegen, „aller Pfaffen Meisterschaft“ vernichten und die Judenstämme besiegen werde. Für Lichtenberger aber sind sie die „giftige Wurzel“, die Saturninischen und Dämonischen, dunkel, zerstörerisch und geheimnisvoll wie der Antichrist selbst, die Ursache des Weltuntergangs, dessen tiefsten Sinn man weder logisch zu erfassen noch rational zu deuten vermochte.

Der Jude ist aber nicht nur der Schuldige am nahenden Weltenende, ihn trifft auch die Schuld an der wirtschaftlichen und sozialen Not der Zeit. In einem Flugblatt von 1493 werden Fürsten, Grafen und Herren belehrt, drei Dinge auf Erden zu meiden: den Sinn auf Wuchergut zu setzen, das Recht zu einem Knecht zu machen und die Juden lieb zu haben und ihnen zu vertrauen. „Sie sind deiner Seelen Dieb.“

Der gelehrte Abt Trithemius von Sponheim, der selbst der Kabbala nahestand, billigte alle gesetzlichen Massnahmen zur Sicherung des Volkes gegen Ausbeutung durch den Judenwucher und fand es erklärlich, dass bei Hohen und Niedrigen, Gelehrten und Ungelehrten sich ein Widerwillen gegen das landfremde und wucherische Volk eingewurzelt habe.

Um diese scharfen Worte zu verstehen, muss man sich vergegenwärtigen, dass sich damals eine commercielle Revolution allergrössten Ausmasses vollzog, die nur in der industriellen Revolution des 19. Jahrhunderts ihre Parallele findet. Der Agrarstaat begann sich in einen Handelsstaat, die Naturalwirtschaft in eine Geldwirtschaft zu wandeln, aus dem engen städtischen Handwerks- und Zunftbetrieb mit seinen Einschränkungen und Reglementierungen, seiner Vorkaufsgesetzgebung und seinem Gewerbezwang entwickelten sich die grosszügigen Augsburger und Nürnberger Handelsgesellschaften, die in Ungarn und Tirol, in Antwerpen und Nowgorod, in Rom und Lissabon ihre Filialen hatten und monopolartig den Überseehandel wie den Handel in Deutschland beherrschten. Die neue kapitalistische Wirtschaftsmethode mit ihrer rationalen Buchführung und Berechnung, ihren modernen Begriffen von Geldbildung, Kapital und Kredit unterhölte langsam die alte Preis- und Gewerbeordnung des Mittelalters. Was Wunder, dass das Volk, das noch immer in der Vorstellung des gerechten Preises, der Unfruchtbarkeit des Geldes, der Notwendigkeit des Zinsverbotes und der Unsittlichkeit des Erwerbsstrebens lebte, diese „geschwinden Läufe“ nicht mehr verstand und in seiner Ratlosigkeit und Verwirrung nach dem Schuldigen suchte? Was Wunder auch, dass es diesen Schuldigen im Juden fand, der so viele Jahrhunderte der durch Kirche und Gesetz privilegierte Geldgeber gewesen war?

Aber nicht nur das Volk konnte die Veränderung der gewohnten Lebensformen nicht mehr begreifen. Auch die Humanisten, die Reformatoren, die Juristen und die Theologen, für die jede nicht durch Religion und Moral gerechtfertigte Wirtschaftstätigkeit eine tötliche Sünde bedeutete, empörten sich über die „wilden Unternehmungen.“ Erasmus bezeichnete die Kaufleute als die schmutzigste Menschenklasse, die auf die verächtlichste und niederträchtigste Art ihren Beruf ausübe. Wimpfeling klagte über die überhandnehmende Besitzgier, die zur Verweltlichung und zur Verachtung Gottes führe, und Luther verlangte, dass den Wucherern kein Sakrament und keine Absolution gegeben werde und dass man sie wie die Heiden begrabe.

Während der Abt Trithemius und viele andere den jüdischen Wucher für den veränderten Zeitgeist verantwortlich machten, verurteilten diese Männer die christlichen Wucherer noch härter als die jüdischen, weil sie gieriger als jene dem Gelderwerb nachjagten.

„Der Judenspiess bin ich genannt“, meldet das Titelblatt einer Flugschrift vom Jahre 1541. „Ich fahr daher durch alle Land. Von grossen Juden ich sagen will, die Schaden dem Land tun in der Still.“ Unter den grossen Juden versteht der fromme Verfasser die christlichen Grosskaufleute, die die Juden nur vertrieben hätten, um an ihrer Stelle ungestört auf allen Wegen und Stegen, auf den Bergen und im Tal, auf dem Markt oder in den Gassen viel höhere Zinsen als jene zu verlangen, anstatt an Gott und das Heil ihrer Seele zu denken.

Wir sehen, die Vorstellung vom Juden war vieldeutig und vielfarbig wie die Zeit, in der er lebte. Weil es sich für diese Menschen um die tiefsten und erregendsten religiösen Fragen handelte, um Sünde und Erlösung, um Gnade und Schuld, um die göttliche Gerechtigkeit und das göttliche Recht, um die Freiheit des Gewissens und die Heiligkeit des Wortes, um das innere Licht und das letzte Gericht, konnten sie das Judenproblem nicht, wie später die Aufklärer, mit der hellen Weisheit Lessings, dem gütigen Verständnis Dohms betrachten. In einer Zeit, in der Faust lebte und seine Zauberkünste trieb, in der die Jungfrau Maria dem Pfeifer von Niklashausen erschien und der Teufel leibhaftig Luther begegnete, in der die apokalyptischen Reiter durch die Lande jagten und der Tod mit Kaiser, König, Papst und Bettelmann tanzte, konnte man auch den Juden nur im farbigen Abglanz, im Mythos und im Symbol erkennen.

Wie der deutsche Jude jener Zeit in Wirklichkeit beschaffen war, wie er die Vorstellungen seiner Epoche auf sich wirken liess und selber auf seine Epoche zurückwirkte, nicht als Idee und nicht als Allegorie, sondern als ein grossartiges *exemplar vitae humanae*, soll an einer Lebensbeschreibung des Joselmann von Rosheim gezeigt werden, jenes edelsten Anwalts und Verteidigers der Juden Deutschlands, des würdigsten Vorfahren des Mannes, dem diese Festschrift gewidmet ist.

CARE OF BOOKS. Readers are asked to take great care of Library books.

TIME ALLOWED FOR READING. Books may be retained for three weeks, and are due for return not later than the latest date stamped below. A charge is made on overdue books at the rate of 1p. for one week or part thereof. A loan may be extended if the book is not required by another reader.